# トッド人類史入門

## 西洋の没落

エマニュエル・トッド
片山杜秀　佐藤 優



文春新書
1399

# はじめに――思想の地下水脈

思想には地下水脈があるように思えてならない。まったく別の文化圏で、別の専門分野を研究していても、地面を掘り下げていくうちに共通の地下水脈に至ることがある。このような地下水脈に至る力がある本を古典と呼ぶ。トッド氏は、現存の知識人であるが、その著作は時代をとらえるために不可欠な古典になっているのである。

現代の古典作家として、エマニュエル・トッド氏と共に私の頭に浮かぶのが柄谷行人氏だ。二人の間に直接的接点はないと思う。しかし、トッド氏の『我々はどこから来て、今どこにいるのか？』（文藝春秋、二〇二二年）と柄谷氏の『力と交換様式』（岩波書店、二〇二二年）を読み比べると、二人の時代認識が驚くほど似ていることに気付く。

まず指摘されるのが、われわれが世界戦争直前の状況に立たされているという危機意識だ。次にこの危機意識が宗教と切り離せないということだ。もっともトッド氏は、「ゾンビ・カトリシズム」「ゾンビ・プロテスタンティズム」「ゾンビ・儒教」のような表現からもわかるように宗教は死につつあるが死に果てていないという認識だ。対して柄谷氏は、交換様式Dという形態で霊という形をとって宗教は生きており、その生命力を強化することが民族・国家・資本のくびきからわれわれが抜け出す上で決定的な重要性を持つと考えている。

本書の目的は、トッド氏のテキストを題材にして、読者に地下水脈に辿《たど》り着く道案内をすることだ。率直に言って、『我々はどこから来て、今どこにいるのか？』を読破するのは難しい。一般論として難しい本には二つの類型がある。第一類型は、内容がでたらめなので理解不能な本だ。一九六〇年代の新左翼の機関紙誌に掲載されていた論文のほとんどがそうだ。最近では独創的と評価される思想書に（特に宗教やスピリチャル絡みの内容のものに）ひどいものが多い。先行思想や神学の標準的言説を調べもせずに思いつきで書いている。確かに型破りな作品は重要だ。しかし、その前提となっているのは型を知っているということだ。型を知らずに型破りを装っても、それはただのでたらめに過ぎない。この種の難しい本は読むだけ時間の無駄だ。

第二の類型は、積み重ね方式になっている本だ。偏微分方程式を多用している金融工学の本を読む際に、高校レベルの微積分の知識が怪しいと正確に読み解くことはできない。ウクライナのナショナリズムについて語る場合には、ガリツィア地方（ウクライナ西部）に拠点を持つユニエイト教会（儀式は正教と酷似しているが、ローマ教皇の管轄下にある東方典礼カトリック教会の一つ）についての知識が不可欠だ。トッド氏の『我々はどこから来て、今どこにいるのか？』は、まさに先行思想のさまざまな型を踏まえた上で、型破りの作品になっている。だからトッド氏の思考はどのような先行思考の型を踏まえているか、特にそれが日本との文脈で持つ意味について道案内する書籍が必要と私は考えた。この構想を慶應義塾大学法学部の片山杜秀教授に話すと賛同してくださり、この本ができることとなった。片山氏の専門領域は日本思想だが、西欧思想だけでなくロシア思想にも造詣が深い。片山氏も自己の足場を掘り下げ地下水脈に至ることができる優れた知識人だ。この仕事を片山氏と一緒に出来て、とても嬉しく思っている。

　そもそも太平洋戦争前に新書というジャンルが生まれたときは、それ自体で完結した本ではなく、学術一般書や学術書を読破するための階段としての役割を果たしていた。その意味でトッド氏の主著につなげるような本書のスタイルは新書の原点回帰と言えるかもしれない。

本書を上梓《じょうし》するにあたっては文春新書編集部の西泰志氏にたいへんにお世話になりました。

二〇二三年二月一五日、入院中の都内某大学病院の病室にて

佐藤優

# トッド人類史入門——西洋の没落◎目次

# 1　日本から「家族」が消滅する日

E・トッド

## 「家族」の重視が少子化を招く

二〇二三年一一月四日収録

初　出　『週刊文春ＷＯＭＡＮ』ｖｏｌ．16　２０２３　創刊４周年記念号に「〝ゾンビ直系家族社会〟日本で『家族』が消滅する日」として掲載

## なぜ「家族」に着目したのか

——トッドさんのご著書は、日本では、知的な男性が読むイメージですが、このインタビューで女性ファンを増やしたいと思っています。

歳なので、もう遅いのではないでしょうか（笑）。二〇年前だったらよかったのに。

——最新著『我々はどこから来て、今どこにいるのか？』（堀茂樹訳、文藝春秋）は、「家族」という視点から全人類史を描いている本ですが、なぜ「家族」に着目したのですか？

人は誰でも、自分の周囲に存在する「家族のあり方」をとくに意識もせず「ごく自然なもの」と受けとっています。しかし、実はそうした「家族のあり方」は、地域や時代ごとに大きく異なっています。しかも、そうした違いが、個々人の行動、社会の教育水準、経済活動、政治体制などに、多大な影響を与えている——これを私は最初、ふとしたきっかけで〝発見〟しました。

冷戦期の頃のことです。自宅のソファーに寝転がっていたところ、ソ連、中国、ベトナム、ユーゴスラビア、アルバニアなど、「共産圏の地図」と「外婚制共同体家族（次頁の表を参照）の分布図」が一致することに突然、気づいたのです。「共産主義革命は工業化社会のプロレタリアート（労働者階級）によって実現される」というマルクス主義の公式的言説に反して、実際の共産主義化は、工業化以前の「外婚制共同体家族」の社会で起きていたわけです。工業化やプロレタリアートの存在と関係なく、親子間は権威主義的で兄弟間は平等な「外婚制共同体家族」が、権威主義的で平等主義的な共産主義イデオロギーと親和性をもっていたのです。この発見が、「家族構造」と「政治体制」を関係づける私の方法論の出発点となりました。

## 女性の地位が低下していった「家族」の歴史

私たちは長年、「家族と個人の歴史」について誤った、しかも根強いイメージを抱

## トッドの家族類型

（親子関係、兄弟関係、内婚制 or 外婚制で分類）

**絶対核家族**――子供は成人後、親元を離れ、結婚後、独立した世帯を持つ。遺産相続は親の遺言で決定。親子関係は自由で、兄弟間の平等に無関心。英米など。

**平等主義核家族**――英米型と同様に、子供は結婚後、独立した世帯を持つが、相続は子供たちの間で平等に男女差別なく分け合う。フランス北部、パリ盆地、スペイン、イタリア南部など。

**直系家族**――通常は男子長子が結婚後も親と同居し、すべてを相続。親子関係は権威主義的（親の権威に従う）で、兄弟間は不平等。日本、ドイツ、フランス南西部、スウェーデン、ノルウェー、韓国など。

**共同体家族**――男子が全員、結婚後も親と同居し、家族が一つの巨大な「共同体」となる。相続は兄弟間で平等で、親子関係は権威主義的。

**外婚制共同体家族**――イトコ婚を認めない共同体家族。中国、ロシア、北インド、フィンランド、ブルガリア、イタリア中部のトスカーナ地方など。

**内婚制共同体家族**――イトコ婚を奨励する共同体家族。アラブ地域、トルコ、イランなど。

＊歴史的に最も新しいのは「共同体家族」で、最も原始的なのが「核家族」。

いてきました。概《おおむ》ね次のようなものです。
「ヨーロッパ中世のある時期から、構成メンバーの多い、息の詰まるような『大家族』から『核家族』が出現することで、『個人』の解放が起こった。一組の夫婦が中心となる核家族の出現のおかげで、個人主義が擡頭《たいとう》した。結婚した夫婦が子供たちを産むと、子供たちは育っていくなかで自由を与えられ、成人すると『個人』になる」

私は長年の研究によって、「複合的な家族」から「核家族」へ変遷してきたという、こうした歴史観の間違いに気づきました。原初のホモ・サピエンスの家族が「核家族」だったからです。これに対して、夫婦や個人を父系の親族関係の中に閉じ込める形態、つまり、中国、インド、イラン、アラブ圏などの家族形態こそ、「進化した家族形態」だったのです。

狩猟採集民だったホモ・サピエンスが世界各地に分散していった後に起きたのは、「農業の発明」と「定住化」です。紀元前九〇〇〇年頃に、中東の肥沃《ひよく》な三日月地帯で、最初の定住化と農業が始まりました。そして農業の発明から約六〇〇〇年後に、「原初の核家族とは異なる家族形態」が出現しました。メソポタミアの南部、シュメールで「長子相続制」が生まれたのです。この時点から数えれば、今日まで、「家族」の歴史は約五〇〇〇年のスパンをもっていることになります。この間、「家族システム」は、概《おおむ》ね核家族→直系家族→共同体家族という形で「進化」し、その過程で、男性や父系の権力が強まり、女性や母系の地位は低下していったのです。

――女性の地位は、歴史が進むにつれて高まってきたのではないのですか？

そこがまったく違うのです。

私たちは、自分たちの西洋型社会より女性の地位が低い社会を見ると、それを「非近代的、非西洋的な遅れ」だと感じます。

しかし、これは誤った歴史ビジョンです。しかも間違った認識が、無理解、不寛容、暴力を生み出し、挙句の果てに、西洋は、武力介入で中東の女性の地位を高めようなどという愚挙に及んでいます。

歴史が明らかにするのは、女性の地位が低い家族形態の方が実は「新しい」という逆説です。家族の歴史は、全体として「女性の地位が低下し続ける」方向で進んできたのです。現在、中国人、インド人、アラブ人、アフリカ人は、科学技術や経済の面では遅れていますが、家族生活上の習俗に関しては、「進化」していたわけです。

ユーラシア大陸には、「家族システムの先進地域」が二つありました。メソポタミアと中国です。いずれも農業、文字、都市、国家が誕生した文明の発祥地で、そこで生じた「女性の地位の低下」は、それ自体が当時の「先進的な革新」だったのです。

こうしたユーラシアの「中心部」に対し、「周縁部」では、原初のホモ・サピエンスの核家族に近い家族形態が残存しました。ヨーロッパ、アメリカ、東南アジアなど、メソポタミアや中国から遠い地域ほど、古い家族形態が残ったわけです。これは、中心から遠いところに古い方言が残るのと同じで、最も古い形態が周縁部に生き残るという「周縁地域の保守性原則」に則《のっと》っています。

## 原初の人類は男女平等だった

ホモ・サピエンスが核家族を形成して狩猟採集民として暮らしていた頃の男女関係

は、かなり平等でした。若干男性の方が支配的で、男性は狩猟、女性は採集という性的分業もありましたが、男女間に相互補完的な平等が存在していたのです。当時の人類にとって最大の課題は、厳しい自然環境のなかでの生き残りで、夫と妻の連帯なしには生き延びることができなかったのです。

　そして原初の「核家族」は、プラグマティックな「柔軟性」も備えていました。必要に応じて、若い夫婦が両親と一時的に同居したり、独りになった老人を彼らの子供たちが引き取ったり、ただし食糧が不足する場合にはその老人たちを切り捨てたり。同じ理由で子殺しも行なわれました。一夫一妻制を基本としながら、事情により、一夫多妻、一妻多夫、離婚、同性愛も許容されていました。

　つまり、ホモ・サピエンスはきわめて自由だったのですが、それは狩猟採集民として生き残るために必要な「自由」や「柔軟性」だったのです。

――「育児を可能にする持続的な夫婦関係」がチンパンジーとの違いだと指摘されています。つまり「家族」によって、ホモ・サピエンスは繁栄できたのでしょうか？

人類が今日まで生き延びている以上、そう言えると思います。

チンパンジーの群れでは、メスを庇護するオスが次々に替わり、父子関係も確定できません。原初の人類も、性的に混乱し、近親相姦も頻繁だった、というのが、人類学者の共通認識でした。この神話を打破したのが、偉大な人類学者Ｆ・ウェスターマークです。『人類婚姻史』（一八九一年刊）で、近親相姦のタブーは、人類が生存競争上、有利だからこそ本能で自然選択したものだ、と指摘したのです。彼より後にフロイトやレヴィ＝ストロースが、このタブーを「文化事象」とみなしましたが、悲しいことに、人文科学は、「後退」することもあるのです。

ウェスターマークは、近親相姦の禁忌だけでなく、「一夫一妻制（核家族）」も、人類が自然選択したものだとみなしました。ただし、こうした核家族も、決して孤立していたわけではなく、核家族同士が集住し、二〇人〜三〇人から一〇〇人程度の小集落を形成していたことが重要です。

さらに大きな集団、あるテリトリーを占有し、ある共通語を用いる一〇〇〇人程度の人口集団の存在も考える必要があります。「配偶者交換」が実現する人口集団です。

これらの集団の人間たちは、自分たちを他の類似集団（＝彼ら）から区別し、「われわれ」と意識していました。原初の核家族は、イトコ婚を避けていましたが（家族レベルの外婚制）、ほとんどの場合、異性の配偶者を「われわれ」の内部で選んでいたのです（集団レベルの内婚制）。

こうした「内婚空間」――配偶者交換の枠組みとなる基礎人口集団――は、歴史を通して、村から小郡、地域へ、さらに地域から国民集団へと拡大していきましたが、グローバリズムにもかかわらず、今日では国民集団が「内婚空間」として強力に機能しています。

## 女性の個人主義と男性の集団主義

――そのように（家族外の）「人間集団」の規模や比重が大きくなるなかで、女性の地位はどうなったのでしょうか？

まず原初の核家族でも、完全な平等ではなく男性がやや優位だったのは、性別分業があり、女性が採集したものは家族内に留め置かれたのに対し、男性が狩猟で得た獲物は、地域の集団のなかで分配されたからです。ここから、総じて男性は（家族外の）集団への帰属意識が強く、女性はより家庭的で個人主義的だという違いが生まれてきます。つまり、「社会の分業化」に対応したのは主に男性で、女性は、「家族」のうちに閉じ込められ、家事や育児や教育に専念するようになったのです。

話をまとめると、人類史の二つの〝逆説〟が確認できます。

第一に、西洋人は、「最も進んでいる」と思い込んできたわけですが、西洋の科学技術的・経済的近代は、むしろ太古的な家族システムに符合していることです。「西洋人」とは、その習俗においては、人類の古い共通基盤、原初の時代に地球の各地に暮らしていた狩猟採集民たちからさほど遠ざかっていない「未開人」なのです。

第二に興味深いのは、かつて文明の発祥地だったユーラシアの中心部ほど、ある時点で歴史の発展が止まってしまったことです。

ここで重要なファクターは「女性の地位」です。当初は「文明化の指標」だった

「女性の地位の低下」が、人類史のある時点から、「社会の発展の阻害要因」となったわけです。

「個人としての女性」の自由が制限されるところでは、実は「個人としての男性」の自由も制限されます。夫婦や個人を父系の親族関係の中に閉じ込める共同体家族のような家族形態では、男性も、囚人のような存在、個人としての自立性を失った〝子供〟のような存在になってしまうのです。

――トッドさんの分類で言うと、日本は「直系家族社会」です。日本の女性がいま置かれている状況を理解するために、その特徴を教えてもらえますか？

直系家族は、父系制への発展の第一段階に相当します。長男を特別視して家督を譲っていく縦型のシステムです。

前世代の獲得物を次世代に効率よく継承できるのが、このシステムの強みです。知識や技術や資産の伝承に長《た》けていて、今日の日本、韓国、ドイツ、北欧のように、総じて教育水準が高いという特徴があります。

歴史的には、メソポタミア、エジプト、中国という当時の先進社会で、知的・物理的資本の蓄積が始まると同時に、長子相続という継承ルールが確立しました。ちなみに社会において老人が権力を持ち始めたのも、資本の蓄積が可能になったからです。

女性の地位については、このシステムでは、核家族より低下しますが、大きく低下するわけではありません。特権化されるのは長男だけで、他の息子たちは娘と同じように処遇されるからです。共同体家族のように、男女がはっきり区別されるわけではないのです。

直系家族社会は、「知識や技術や資本の蓄積」を容易にし、「加速の原則」という強みをもっていますが、他方で、過剰に完璧になると硬直化するという弱みがあります。「キャッチアップ」は得意でも「創造的破壊」は不得手なのです。「老人支配」を招きやすいのも難点です。

これに対し、原初のホモ・サピエンスに近い家族形態で、より柔軟性があるのが、アングロサクソンの「絶対核家族社会」です。成人すると親元から独立する英米社会は、移動性が高く、世代間断絶が起こりやすい。つまり「継承」が得意な直系家族に対して、「革新」を得意とします。ここに、「アングロサクソンがなぜ覇権を握ったか」を解く鍵があります。

――「なぜアメリカなるものがわれわれの眼に、モダンであると同時に未開の自然のように映るのか」という疑問の答えもそこにあるわけですね。

そうです。今日に続く近代のイノベーションは、周縁部の核家族社会で起こりました。文字、都市、国家、技術といったユーラシアの中心部で発明されたものを周縁部の核家族社会が効果的に取り入れたわけです。唯一取り入れなかったのは、「女性の地位の低下」で、近代において彼らが優位に立ったのは、こうした背景からです。

東アジアでも同じ現象が見られます。文明の中心は、文字、都市、国家、技術を生み出した中国北部です。直系家族を発明したのもこの地域で、儒教は、まさに直系家族のイデオロギーを言語化したものと言えます。

中国からこうした文化や技術をすでに取り入れていたことが、西洋文明の受容において日本に有利に働きました。加えて、家族システムとしてさらに「進化」して共同体家族社会になっていた中国よりも、直系家族の日本は、西洋技術の受容により適していたと言えます。この点は、ドイツも同じで、西欧由来の文明の受容において、直系家族ならではの効率性を発揮しました。

## 儒教文化圏で深刻な少子化

――「日本は核武装すべきだ」がトッドさんの持論ですが、「安全保障よりも少子化こそ日本の真の危機だ」とも指摘されています。しかも、少子化は、東アジアの儒教文化圏に共通する問題だ、と。

女性一人あたりの出生率（合計特殊出生率）は、二に近い値でないと、現状の人口規模を維持できませんが、日本は一・三〇、中国は一・一六、台湾は一・一一、韓国は〇・八一で、いずれも危機的水準です。これは「ゾンビ・儒教」の影響です。「親の老後の世話」と「子供の教育」の負担が重すぎて少子化を招いているのです。

――そうした東アジアの共通点を踏まえた上で、トッドさんの理論からすると、中国、朝鮮半島、日本の比較で言えば、女性の地位が相対的に高いのは、最も周縁に位置する日本だと考えてよいのでしょうか？

基本的にそうだと思います。

女性が書いた古い時代の文学が残っていたり、女性天皇が存在したのは、その証《あか》しで、最も周縁の日本が、ホモ・サピエンスの太古性を最も残している、と言えるかもしれません。また日本と朝鮮半島は同じ直系家族ですが、日本では血縁のない養子が普通に存在したのに対し、朝鮮半島では見られません。中国、韓国の夫婦別姓に見られる血統重視は、日本より父系制が強いことを示していると考えられます。

とはいえ、より明確な指標があります。新生児の性比です。新生児は男児の方が多く、自然状態では女児一〇〇人に対して男児一〇五人～一〇六人です。この指標は一〇七の場合でも選択的堕胎（出生前診断による女性胎児の堕胎）が疑われますが、二〇一〇年頃の時点で、中国は一一八で、韓国は一〇七で、日本は一〇六です。

日本は、まったくの正常値で、女性胎児の選択的堕胎はほぼ行なわれていません。韓国は出生前診断が普及した一九九四年には一一五まで上昇しましたが、その後、政府の介入で正常値に戻りました。中国の一一八は異常値で、少子化が深刻なだけでなく、将来の歪《いびつ》な人口構成を予告しています。ですから、「中国や朝鮮半島と比べれば、日本における女性の地位は比較的高い」とは言えるでしょう。

――しかし、ご著書では、「少子化対策にも移民受け入れにも本腰を入れていない日本は、そもそも国力の維持すら諦めているように見える」として、直系家族社会特有の問題を指摘されています。

ドイツと同様に、女性が「育児」か「キャリア」かの二者択一を迫られるところに、出生率低下の原因があります。

――そこを例えば、フランス的な制度の導入によって解決できるのでしょうか？

フランスの出生率が比較的高いのは、子育てに対する財政支援、とくに中高等教育が無料であることが影響していると思います。ただ大事なのは、フランスの制度は、日本人の習俗ではなくフランス人の習俗に合わせてつくられていることです。

## 「親の面倒をみる」は倫理的か？

ここで「世帯」と「家族」の区別が重要になります。例えば、今日の日本では、直系家族の典型である「三世代同居」はもはや見られません。しかし「核家族的世帯」で暮らしていても、「年老いた親の面倒をみる」という規範が依然として強くあります。敢《あ》えて乱暴な言い方をすれば、フランスであれば、老人ホームに入れて親を見捨ててしまいます（笑）。そこに習俗の違いがあるわけです。

さらに日本では、母親が、育児に時間とエネルギーを注ぐことを要求される雰囲気がある。これも「ゾンビ・儒教」や「ゾンビ・直系家族」のメンタリティが根強く存在している証しです。

いくら「核家族世帯」が増えても、「日本の直系家族は消滅した」とは言えないのです。「直系家族」のメンタリティは、容易には変えられません。個人ではなく集団のものだからです。例えば、あるカップルが、自分たちの考えで一般とは違うことをやろうとしても、近所や親族内で一種の〝スキャンダル〟になってしまう。そうした「文化的惰性」から脱出するのはとても困難なのです。しかも人口動態をみれば、老人がさらに増えていきますから、今後、「儒教的な老人支配」は強まる一方です。

ここで問うべきなのは、「老人を敬《うやま》う」「親の面倒をみる」といった、かつての倫理が、果たして今も倫理的だと言えるかどうかです。フランスのバカロレアという試験の科目には哲学がありますが、そうした試験で「儒教の教えは、今日のような状況では、実は不道徳ではないか」といった問題をつくれば面白いと思います（笑）。というのも、親の面倒ばかりみていたのでは、子供がつくれません。国としても老人ばかりに予算を使っていては、少子化が進む一方だからです。

## 「家族」の重視が少子化を招く

――『老人支配国家 日本の危機』（文春新書）という本では、〈「家族」の過剰な重視が「家族」を殺す〉と指摘されていましたね。

結婚にしても、出産にしても、「家族」に関わる選択が、日本では、とくに日本の女性にとっては、あまりに重すぎる〝決断〟となっています。フランスではもっと気軽に結婚したり、子をもったり、離婚したりします。「家族」をあまりに完璧なものに見立てたり、「家族」ですべてを背負おうとすると、現在の日本の非婚化や少子化が示しているように、かえって「家族」を消滅させてしまうのです。

親の面倒をみることは、道徳的に褒められているが、本当に褒められるべきことなのか。これから人生を営んでいく、これから社会を成り立たせていく、といった観点から、そう問い直すべきではないか。老人の一人としてそう思います（笑）。

――姉妹版として、『彼女たちはどこから来て、今どこにいるのか？』という、「女性の人類史」を描いた最新著も出されたそうですね。

もともとフランスにおける男女関係は、西洋のなかでもとりわけ「近代的」で、リラックスしたものでした。分野によっては不充分でも、女性の社会進出もかなり進んでいて、裁判官や医師の大多数は女性です。その点に男性も不満を持つわけではなく、「裁判で判決を下すのは女で、判決を下されるのは男だ」という冗談が言えるくらいです（笑）。それが、#MeToo運動以降、フランスでも、男女を敵対させる、英米タイプの攻撃的なフェミニズムが出てきました。これはフランスの文化には馴染まない、とショックを受けたことが、執筆のきっかけです。この本の邦訳（大野舞訳、文藝春秋近刊）が出たらまた日本に来て、ご批判も覚悟して（笑）、日本の読者との交流を楽しんでみたいです。

**（通訳・堀茂樹）**

# 2　ウクライナ戦争と西洋の没落

E・トッド＋片山杜秀＋佐藤優

「露と独（欧州）の分断」こそが米国の狙いだ

二〇二二年一一月四日収録

初　出　『文藝春秋』二〇二三年一月号に「ウクライナ戦争の真実」として掲載

**片山**　フランスの歴史人口学者・家族人類学者であるエマニュエル・トッドさんが、この度《たび》、『我々はどこから来て、今どこにいるのか？』（上　アングロサクソンがなぜ覇権を握ったか／下　民主主義の野蛮な起源、文藝春秋）の刊行に合わせて来日されました。ホモ・サピエンスの誕生からトランプ登場までの全人類史を「家族」という視点から描く壮大な歴史の本ですが、トッドさんの研究のすべてが凝縮された集大成と言える作品ですね。

本日は、佐藤さんとともにトッドさんを囲んで、この本を土台にしながら現在の状況を読み解き、今後、世界がどうなっていくのかを考えてみたいと思います。

**トッド**　せっかくの機会なので、ここでは日本的な礼節はなしにして、拙著へのご批判も忌《き》憚《たん》なくおっしゃっていただければと思います。

## 歴史の分水嶺

**片山**　ご著書を拝読して深く感銘を受けました。過去の歴史から、現代世界の混迷の由来がおのずと見えてくる内容だからです。民主主義が試練を迎え、アングロサクソンによる覇権も揺らぎ始めた世界の今後を考える上で、さまざまな知見が詰まった本だと思いました。

『我々はどこから来て、今どこにいるのか？』の最大のテーマは、「英米世界が一八世紀以降の世界史をリードしてきたのはなぜか？」ですね。結論を駆け足で要約すれば、その鍵は、英米の「核家族」――トッドさんは、従来の歴史観をひっくり返して、これまで「最も新しい」と思われてきた核家族が、実は原初のホモ・サピエンスと同じで「最も原始的」だと指摘しています――にあって、「最も原始的な家族構造」であるがゆえに「最も先進的な社会」を築き上げたという、とても興味深い歴史のパラドックスが描かれています。

原書の出版は二〇一七年ですが、現在のウクライナ戦争を理解する上でも、五年前の本とは思えないほど示唆《しさ》に富んでいます。ただ、日本での出版に際して今回新たに付された「日本の読者へ」と「日本語版へのあとがき」を読むと、原書刊行時にトッドさん自身が英米世界に抱いていた期待が幻滅に変わっていますね。この本を手に今の世界を眺めると、「自由な個人」を基盤とする核家族的な英米主導の文明も、いよいよ行き着くところまで行ってしまい、いま我々は、歴史の分水嶺というか、とても危うい地点に立っている、という思いに囚《とら》われます。

ウクライナ戦争をめぐって、「西洋の民主主義陣営VS中露の専制主義陣営」という語り口が常套句《じょうとうく》となっていますが、「専制主義陣営」を「西洋より遅れたもの」とする西側の一般的評価に対して、トッドさんは、少なくともロシアに関しては、異なる見方をしています。「ロシア恐怖症」に囚われた西側メディアが見落としてきたのは、ロシアが、ソ連崩壊後の危機的状況から見事に立ち直り、社会として安定に向かっていることで、それは乳幼児死亡率などの人口統計にはっきり現れている、と。その上で、「ロシアの復活」の背後にはロシア特有の家族構造がある、と指摘しています。

トッドさんの家族構造の分類では、ロシアと中国は「共同体家族社会」ですが、両者には違いもあり、キリスト教の影響で女性の地位が高いロシアの方が、創造性に富んでいて、よりダイナミックな社会だとしています。そして西側の文明史家や社会科学者とは正反対に、ロシアの未来を楽観的に描いています。さらに踏み込んで言えば、「アングロサクソン的なもの」が破綻した後には「ロシア的なもの」が新しい活力として浮上してくる、といったビジョンまで提示している。これが今後の世界についての〝予言〟として説得力をもって迫ってきました。

**トッド**　急いで一言だけ申しますと、戦争で現に人が殺されているのは、一人の人間として本当に耐えがたいのですが、歴史家として、「こんな転換期に立ち会えることなど滅多にない」という思いでいるのも事実です。

## ロシアで読まれているトッド

**佐藤**　トッドさんはロシアでも注目されています。ソ連時代、トッドさんの本は公《おおや》けには禁止されていましたが、ソ連共産党中央委員会のメンバー用に翻訳され、ソ連崩壊直後には闇市場に流れていました。一九七六年に弱冠二五歳でソ連崩壊を予言された『最後の転落――ソ連崩壊のシナリオ』（藤原書店）です。

**トッド**　そうとは知らなかったので、驚いています。

**佐藤**　『帝国以後』（藤原書店）もよく読まれていて、今回の戦争が始まって以降、改めて言及されています。トッドさんの最近の記事も注目されています。

**トッド**　本当ですか？

**佐藤**　「エマニュエル・トッド『西側とロシアの間で、それ以外の世界はロシアを選びかねない』」という『マリアンヌ』誌の記事（二〇二二年九月）が紹介されています。

**トッド**　マクロン大統領が、国連で中立国に「沈黙する人々は、現在の秩序を踏みにじる新たな帝国主義に加担している」と迫った時に書いた記事です。どちらかを選べと強制されたら、多くの国はロシアを選ぶ、と。

**佐藤**　二〇二二年一〇月二七日、モスクワ郊外で開催されたヴァルダイ会議で、ロシアのプーチン大統領が一時間の演説を行ない、その後、三時間以上にわたる討論に参加しました。トッドさんのこの本を読んでいなければ、私はプーチン発言の半分も理解できなかったと思います。

**トッド**　ヴァルダイ会議に参加されたのですか。

**佐藤**　ロシア大使から招待されましたが、人工透析中で行けませんでした。

**トッド**　そんな健康状態にもかかわらず、本日はいらしていただいて、ありがとうございます。

**佐藤**　ヴァルダイ会議での発言は、プーチンの思想を知るための「重要資料」なのに、日本の論壇やアカデミズムで無視されているので、私は一週間かけて会議録のすべてを日本語に訳しました。これから、トッドさんの本の論理とプーチンの論理を対照していきたいのですが、これを読むと、プーチンも深いところで、トッドさんから影響を受けているような気がします。

**トッド**　一言だけ言葉を挟ませて下さい。佐藤さんの話を聞いて感動しています。私もヴァルダイでのプーチン演説に注目していて、その内容に共感するものがあったからです。少なくとも「プーチンは狂っている」と繰り返すだけの西側メディアは、まずはこのテキストをきちんと読むべきだと思います。

## プーチンのヴァルダイ演説

**佐藤**　賛同するかどうかは別にしても、プーチンの内在論理を理解するためには必読のテキストですね。

「第三次世界大戦はもう始まっている」とトッドさんは早くから指摘していましたが、

実際、二〇二二年九月末から、ロシアにとってウクライナ戦争の目的が明らかに変化しています。以前は「ロシア系住民の保護」と言っていたのが、「ゼレンスキー政権は傀儡《かいらい》にすぎず、主たる敵は米国を中心とする西側連合だ」と明言しています。つまり、プーチンの心のなかではすでに〝第三次世界大戦〟が始まっているわけです。

ヴァルダイ会議でプーチンはこう述べています。

〈今起きていることは、例えばウクライナも含めて、ロシアの特別軍事作戦が始まってからの変化ではありません。これらの変化はすべて、何年も長い間、続いています。（略）これは世界秩序全体の地殻変動なのです〉

〈ソ連の崩壊は、地政学的な力のバランスも破壊しました。欧米は勝者の気分になり、自分たちの意志、文化、利益のみが存在する一極的な世界秩序を宣言しました。

今、世界情勢における西洋の独壇場は終わりを告げ、一極集中の世界は過去のものになりつつあります。私たちは、第二次世界大戦後、おそらく最も危険で予測不可能な、しかし重要な一〇年を前にして、歴史の分岐点に立っているのです〉（プーチン発言はいずれも佐藤優訳）

つまり、ウクライナでの軍事衝突自体は、表面的な現象にすぎず、いま起きていることの根源はもっと深いところにある、とプーチンは見ているわけです。

トッドさんも、この本で、「ウクライナでの戦争は通常の政治学や経済学では的確に捉えられない」として、政治や経済という「意識」のレベルだけでなく、教育という「下意識」、さらには宗教や家族といった「無意識」のレベルにまで降りていく必要がある、と述べています。

そしてプーチンも、この戦争を「宗教」や「家族」や「習俗」といったタームを用いて語るようになっています。二〇二二年九月三〇日の演説ではこう述べています。

〈彼らは今、道徳、宗教、家庭を徹底的に否定する方向に進んでいます。（略）私たちは、小学校から学校で、（略）男性と女性以外に性別があることを教え、性転換手術を受けさせるのか？（略）このようなことは、私たちには受け入れられません。私たちには、自分たちの別の未来があるのです。（略）西側エリートの独裁は、西側諸国の国民を含むすべての社会に向けられています。全員への挑戦状です。このような人間の完全否定、信仰と伝統的価値の破壊、自由の抑圧は、「宗教を逆手に取った」、

つまり完全な悪魔崇拝の特徴を帯びているのです〉

要するに、伝統的家族観に反する悪魔崇拝を行なっている西側を相手に、正しいキリスト教（正教）的価値観を保持するロシアが戦っていると主張しているわけです。

そして西洋が自分の世界のなかで自分のルールを適用するのは構わないが、それを世界全体に強制することで現在の世界の混乱が起きている、と述べています。

〈民族や文明の特殊性を尊重することは、すべての人の利益に適《かな》います。（略）西側少数民族の文化的独自性に対する権利は、もちろん保障されるべきであり、敬意をもって扱われるべきですが、他のすべての人々の権利と同等であることを強調しておきたいと思います。（略）西側と違って、私たちは他人の裏庭に干渉しないのです〉

こうしたプーチンの思想を理解する上で、この本はよき導きの糸になります。

## 個人至上主義の終わり

**トッド**　確かに、私は多くの西洋の知識人とは違って、プーチンに限らず、ロシアの指導者のことをある程度理解できるという気持ちを持っています。それは、人類学者として、自分のパーソナルな立場から距離をとって世界を客観的に認識しようとしているからです。もともと私は一八世紀の歴史を研究していましたが、どちらに賛成か反対かという形で一八世紀の問題に関与するわけにはいかないのと同じような姿勢で現代を見ています。

いま人類は大転換期を迎えていて、英米主導の近現代が、深刻な危機に晒《さら》されています。私はプーチンのように、そこにサタニズム（悪魔崇拝）を感じるわけではありませんが、英米型の個人主義が一つの限界を超えてしまったという認識です。何らかの「集団」なくしては「個人」も「個人」であり得ない。英米の超個人主義の誤りは、「集団」なしに「個人」が存在する、という考えに至ったことです。ところが、「利己的なホモ・エコノミクス（経済人）」にしても、真空のなかで行動するわけではなく、その行動を規定するものとして、家族、宗教、国家といった枠組みが存在します。

**片山**　御本のなかで、英国の絶対核家族的な「個人の自立」も、高齢者や独身者への「公的扶助制度」（救貧法など）があって初めて可能になったと指摘されていますね。〈ビスマルクとドイツが社会保障を創設したという常套句を疑問に付さなければならない。否、この面でも、一番乗りしたのはやはりイギリスだったのだ。イギリスにおいてこそ、われわれはヨーロッパの最初の福祉国家を観察できる〉（上巻、二〇八頁）と。

## 世界で普遍的な役割を担うロシア

**トッド**　ところが、グローバリズムが進むなかで、西洋のエリートは、「集団抜きの絶対的個人が普遍的に存在しなければならない」と頑《かたく》なに信奉するようになり、この信仰を共有しない人々を「集団主義的」「専制主義的」と一方的に排斥するようになりました。西側メディアに蔓延《まんえん》している「ロシア恐怖症」がその典型例です。これは私には、個人がアトム化し、社会的な連帯感が失われ、国家として方向性を見失って虚無感に襲われている「西洋」自身のヒステリーの現われにしか見えません（ちなみに「ロシア恐怖症」が生まれた起源はメディアそれ自体だったことを、アンドレイ・ツィガンコフの『ダーク・ダブル――米国のメディア、ロシア、価値観の政治学』が明らかにしています。今日、最も自由を手にし、独善的に権力を振るっているのは、政治よりも上位に位置しているメディアです。民主主義に報道の自由は不可欠だとしても、この思想としての「ジャーナリズム主義」を問題にすべきです）。

ここで一つの大きな歴史的なパラドックスが生じているように思います。佐藤さんが言及されたプーチン演説を読んで私が思ったのは、「英米の覇権主義が、逆説的にもロシア史に新たな普遍的意味合いを与えている」ということです。ロシアは、英米と対抗するなかで、結果的に、世界における「保守的な勢力」を代表するようになり、普遍的な役割を担うようになりました。

これを私は「普遍主義的特殊主義」と名づけています。特殊性の普遍的な権利、つまり、あらゆる文明、あらゆる国家がそれぞれのあり方で存在する権利を認めていこうという考えです。単一のルールや世界観を一律に押しつける英米のヘゲモニーに挑戦するロシアの普遍主義的特殊主義は、世界におけるロシアの「ソフトパワー」を構成しつつあります。ただ、ここだけはプーチンと違って、「宗教」がそうしたロシアの特性を表わしているとは考えません。より根底にある「家族システム」が、ロシアを動かしていると私は見ています。

**片山**　ロシアの普遍主義的志向と家族システムの関係について、御本でこう指摘されていますね。

〈フランスの平等主義核家族がそうであるように、ロシアの共同体家族は、普遍主義的なシークエンス、すなわち、「子供たちは平等である（フランスの場合）、あるいは、息子たちは平等である（ロシアの場合）、人びとは平等である、諸国民は平等である」を起動する。したがって、フランス革命と同様、共産主義革命は攻撃的なまでに普遍主義的であり、ロシアで発明されたシステムを世界に拡げようと試みた。（略）国力が収縮する局面に入ると、帝国の夢は、諸国民は当然平等である筈《はず》だという、より平和的なビジョンに変化した。実際、ウラジーミル・プーチンや外相セルゲイ・ラブロフのテクストは多極的世界の構想を繰り広げ、その多極的世界の中でロシアは諸国民の平等性と自律性を擁護しなければならない、としている〉（下巻、二五九頁）

**トッド**　「国際関係」と「家族関係」のアナロジーを的確に読み取っていただき、感謝します。その上で、リスクを伴う発言を一つ付け加えたいと思います。

『文藝春秋』二〇二二年五月号で述べたように、「ウクライナ戦争の最大の責任は、プーチンやロシアではなく米国とＮＡＴＯにある」（「日本核武装のすすめ」）と私は見ています。米国やNATOの対応次第で本来、簡単に避けられた戦争なのに、武器だけ提供して、ウクライナ人を〝人間の盾〟にしてロシアと戦っているからです。しかし、「ロシアが侵略した」「ウクライナがネイションとして存在する権利をロシアが脅《おびや》かした」のも事実で、ロシアの行動は批判に値します。

ここで日本は、ロシアを批判する西側陣営に与《くみ》しています。ロシアとは、歴史的に困難な関係にあったことも承知しています。しかし、一つの仮説というか確信を抱かざるを得ません。佐藤さんが紹介されたプーチン演説を、日本の識者が先入観なしに、例えばプーチンの発言とは知らずに読んだらどうなるか。米国流のグローバル・スタンダードを押し付けられてきた彼らの多くは、むしろ共感するのではないか、と。

## 発言には勇気がいる

**佐藤**　日本の文化エリートだけでなく、政治エリートも、トッドさんと同じ感覚を持っていると思います。

日本の国際政治学者の高坂正堯《こうさかまさたか》は、「国際関係」を「価値の体系」「利益の体系」

「力の体系」の三つの体系から捉えましたが、ウクライナ戦争に対する日本政府の立場も、この三つの層から成っています。

第一の「価値の体系」に関して、日本政府は米国やG7と一体化してロシアを批判しています。国会での議論や岸田文雄総理の発言、日本のマスコミ報道では、基本的にこの部分しか見えてきません。しかし、第二の「利益の体系」では様相が異なっていて、日本は、G7のなかで唯一ロシアの航空機に対して自国の領空を開放しています。シベリアの上空を経由してヨーロッパに行くことに、日本が利益を見出しているからです。旅客機は飛んでいませんが、現在も貨物機はロシア上空を飛んでいます。

**トッド**　本当ですか。

**佐藤**　ロシア極東の石油と天然ガス採掘プロジェクトであるサハリン1とサハリン2の権益も、日本は維持しています。ロシアに入漁料を支払ってサケ・マスを獲る仕組みも維持されています。

**トッド**　ロシアとの協力関係は、間違いなく日本の国益に適《かな》うはずです。

**佐藤**　第三の「力（軍事力）の体系」では、防衛装備移転三原則が紛争当事国への武器輸出を禁じているので、ウクライナに防弾チョッキやヘルメット以外の兵器を送っていません。今後も日本がウクライナに殺傷能力を持つ兵器を供与することはないと思います。つまり、日本の政策は、米国と完全には一致していないのです。

このあたりの事情は、トッドさんの本が日本でよく読まれていることとも関係していると思います。

トッドさんが『文藝春秋』二〇二二年五月号に「第三次世界大戦はすでに始まっている」と寄稿するまで、日本のメディアはウクライナ擁護一色でした。私は勇気が足りないので、『文藝春秋』には思っていることを書きませんでした（笑）。

ただ、日本には絶対平和主義を掲げている創価学会という宗教団体があり、その系統の出版社から『プーチンの野望』（潮新書）という本を出しました。かなりの攻撃を覚悟していたのですが、私の本の刊行直後にトッドさんの本（『第三次世界大戦はもう始まっている』文春新書）が出てくれたおかげで、助かりました。

**トッド**　私もフランスではそこまでの勇気はありません。同じ内容をフランスで同時期に発表していたら、私は社会的に抹殺されていたと思います。半年経ってようやく、この戦争に関する自分の見解を『マリアンヌ』誌に少しずつ書き始めたところです。私にとって日本は、一種の安全地帯、いわば〝盾〟のような存在なんです。

**佐藤**　それは、私にとってトッドさんが強力な〝盾〟であるのと同じですね。

## 日本は「米国の保護領」

**トッド**　現在、日本が米国を中心とする西洋圏、自由主義圏に所属しているのは、第二次世界大戦で米国に敗北したことの帰結であって、それ以外の何ものでもありません。米国はなかなか賢く、天皇の地位を保全し、共産圏に対抗する形で日本経済の発展を支援しました。その結果、日本は現在のような国際的な地位を得たわけですが、その「地位」とは何かと言えば、「米国の保護領」でしかありません。現在の日本は、「独立国」としての自由や自律性を享受していないのです。

人類学的に見れば、ネイションとしての日本の気質は、アングロサクソンとは正反対です。その違いをごまかさなければならず、価値観次元での表面的な言説と、利益次元でのリアルな行動の間に矛盾が生じているのではないでしょうか。

**佐藤**　非常に説得力ある説明です。日本人がこのことを真面目に考えると矛盾に気づかざるを得ないので、考えないようにしている、ということなんです。

**トッド**　しかし、日本も、今後、その矛盾に直面せざるを得なくなり、「保護領」からの脱却を本気で考える必要に迫られるのではないでしょうか。

　こうはっきり口にするようになったのは実は最近のことで、米国の行動に〝危うさ〟を感じるようになったからです。「日本は核武装すべきだ」と躊躇《ちゅうちょ》なく断言するようになったのも同じ理由です。米国の行動はどこまで信頼できるのか、米国に頼りきってよいのか。しかも、英国の動向が、そうした不安をいっそう掻き立てます。

**片山**　英国が、米国にとっていかなる存在であるかについては、こう述べられていますね。

〈米国のエリート層には、無意識にも（略）「英国の上流階級の振る舞い」が重要な参照基準として存在してきました。この英国スタイルが失われるとどうなるか。米国の迷走に拍車がかかる恐れがあります。何といってもイギリスは、米国にとって「母なる国」だからです〉（下巻、三二六頁）

**トッド**　米国にとって英国こそが〝欧州への入り口〟でした。米国の行動に節度を与えていた、リファレンスとしての欧州が失われることを恐れています。

## 「戦前」と「戦後」をトッド理論で読み解く

**片山**　日本人なら、アングロサクソン的なグローバリズムの言説より、各国の特殊性を重んじるプーチンの言説に共感するはずだ、というご指摘はその通りだと思います。さらにトッドさんの「国際関係」と「家族関係」のアナロジーを援用すると、戦前の日本の行動がよりよく読み解ける気がします。

兄弟を不平等に扱う日本やドイツの直系家族について、「子供たちは不平等である、人びとは不平等である、諸国民は不平等である」という特殊主義的なシークエンスを導く、とトッドさんは指摘しています。

戦前の日本のエリートたちは、どの国も同じ一票を持つといった国際連盟のような仕組みに不満を覚えていました。まさに「兄は弟より発言権を持って当然だ」というメンタリティです。そしてアジアでは、日本が「長兄」として他国を従えるというロジックが、中国から、インド、東南アジアまで通用するはずだ、と無意識にも思い込んでいた。京都学派や右翼的なアジア主義者など、アジアをリードできるのは「長兄としての日本」だ、という認識が広く共有されていたわけです。

しかし、そんな独りよがりは通用しません。アジア各地の家族構造や社会の違いに関する知識も欠いたまま、「アジアは一つ」でまとめてみようとしたことが、そもそもの間違いで、結局、米国に負けてしまいました。

それに対して、米国に屈服させられた戦後の日本人は、長子優先の日本の伝統的な家族のあり方を「封建的だ」と否定して、米国流の核家族に「理想の家族モデル」を見ました。そして経済大国となった後は、自らの家族や社会のあり方も、アングロサクソン的なモデルで説明できるつもりになっていました。ところが、三世代同居が実際には見られなくなっても、直系家族に由来する価値観は、簡単に消え去るわけではない。トッドさんにそう指摘されて、納得する読者も多いと思います。

**トッド**　戦前、「アジアの長兄」として振る舞った日本は、戦後は「米国の弟分」になったわけでしょうか。

**片山**　まさにご指摘通りです。国家間関係も、対等な関係ではなく、兄か弟かでしか考えられず、自国が力を持っている時には、「兄」として振る舞い、自国の力が弱くなれば、「弟」としての立場に甘んじるわけですね。

**トッド**　ここでロシアと日本を比べると、英米のヘゲモニーに対して、どちらも独立を求めるとしても、日本の場合には、「諸国民は同等だ」という考えが希薄なので、自国の独立のみを求めることになります。そこがロシアは違って、ヴァルダイ演説のように、すべての国に独立する権利があるというビジョンになる。ロシアの「普遍主義的特殊主義」に対して、日本は、自国の独自性のみを追求する「特殊主義的特殊主義」であると、日本へ来る時の飛行機のなかで思いつきました（笑）。

## 中国の深刻な人口問題

**片山**　アングロサクソンの覇権に対抗した戦前の日本の行動と、現在のロシアの主張には似ているところもありますが、ロシアモデルの方が普遍主義的で、世界に受け容れられる可能性があるのに対して、戦前の日本は、そうした包容力を欠いていたのでしょうね。

しかし今の日本では、アングロサクソンの後に覇権を握るのは中国だ、という議論の方が盛んです。ロシアでなく中国が覇権を握る可能性はないのでしょうか。

**トッド**　長い射程で見たときに、中国が世界で覇権を握る可能性はないと私は見ています。

第一に、ロシアと中国は大きく異なります。それは、女性の地位の違いに現れていて、女性の地位が高いロシアの方がはるかにダイナミックな社会です。第二に、人口学者なら誰でも思うことですが、出生率が一・一六の国が覇権を握ることはあり得ません。第三に、中国の最大のアキレス腱である人口問題は、新生児の性比にも現れています。新生児は男児の方が多く、自然状態では女児一〇〇人に対して男児一〇五人～一〇六人です。この指標は一〇七でも選択的堕胎（出生前診断による女性胎児の堕胎）が疑われますが、中国は、一一八（二〇一〇年頃）という異常値です。女性の地位の極端な低さを反映していると同時に、将来の歪《ゆが》んだ人口構成を浮かび上がらせています。第四に、中国はその人口規模からして、人口減少を他国からの移民で補うことが物理的に不可能です。

したがって、中長期的に見て、対外的に脅威となるより、内部崩壊するリスクの方が高いのです。

もう一つ、さらなるリスクがあります。ロシアと中国は、共産主義から同じようなやり方で脱出したと思われていますが、大きな違いがあります。どの国でも、高等教育を受ける人口が一定の割合に達すると、それ以外の人口との間に亀裂が生まれて社会が不安定化します。一九八〇年以降、ソ連崩壊の直前に、ロシアはそうした移行期危機を経験しました。それに対して中国が危うい過渡期を迎えるのは、これからです。

**佐藤**　非常に説得力があります。ロシア人が好む話があって、ソ連を建国したレーニンは総合大学中退で、ソ連を崩壊させたゴルバチョフも総合大学卒業者で、それ以外は皆、総合大学を出ていない。つまり、総合大学出身者が政治のトップに就くと、国に災いがある、と。

**トッド**　それは面白い！　最初の妻はロシア系でしたが、私はロシアで暮らしたことがなく、ソ連崩壊を予測したとしても、私にとってロシアは、数値やデータで分析する対象、いわば抽象的な存在です。ですから、今のレーニンの話のように、具体的な事実でこちらの話を補って下さるのは、とても興味深い。

## 英国のインテリジェンスの劣化

**佐藤**　今日ぜひ教えていただきたいのは、英国についてです。私も一九八六年から八七年にかけて、外務省研修で、英国の陸軍語学学校でロシア語を学びましたので、多少の英国経験があります。ひと昔前まで、英国のインテリジェンス機関は極めて優秀だと言われてきました。ところが、ウクライナ戦争に関する英国の〝インテリジェンス〟は〝プロパガンダ〟と区別がつかない。戦時中でも公正な報道をすると信頼されてきたＢＢＣの報道も、情報操作が入っていて情報分析に役立たない。なぜ英国は、これほど変わり果ててしまったのでしょうか。

**トッド**　これについては、私自身、反省しなければという思いがあります。約五〇年前にケンブリッジで学んだ私は、当時の英国エリートたちの気風を好むあまり、長い間、英国の現実に気づかずにいたからです。

ウクライナ軍を重武装化してロシアと戦争するように嗾《けしか》けたのは米英ですが、英国は米国以上に好戦的で、米国が驚いているほどで、おっしゃる通り、英国国防省の発表のほとんどは、根拠のないプロパガンダです。

ロシアとドイツを結ぶバルト海の天然ガスパイプラインの破壊も、西側メディアでは「ロシアによる工作だ」という論調ですが、私は米国と英国とポーランドが破壊したと確信しています。天然ガスを止めたいのなら、ロシアは単にパイプラインの栓を閉めればいいからです。

ロシアが掌握している刑務所や原発を自ら攻撃する、というのもあり得ません。こんな根拠のない〝情報〟が英国中心に発せられ、西側メディア全体が好戦的になっています。私はＢＢＣ以上に『ガーディアン』紙の報道がおかしくなっていることにショックを受けていて、エリートが劣化した英国の危機をそこに見ています。

例えば、同じ新自由主義者でも、サッチャーは、中産階級出身でありながら貴族的なブリティッシュ・イングリッシュを話せましたが、最近、首相に就任してすぐに辞任したトラスの言葉遣いには、そうした品格が微塵《みじん》も感じられませんでした。

## パブリックスクールの変質

**トッド**　英国のエリート文化を培《つちか》ってきたのは、主に寄宿制のパブリックスクールです。通常科目もさることながら、ギリシア語やラテン語といった古典を学び、知識だけでなくスポーツも実践し、言ってみれば、マゾヒズム、つまり、理不尽な苦難に耐える知力と体力と精神力を鍛えていました。ところが今では、富裕層の子息のための居心地のよい避難所のようになっている。このような変化が象徴するように、英国を支えてきた古き良きエリート文化は、すでに失われてしまったようです。長い目で見れば、これもサッチャリズム、新自由主義の帰結の一つだ、と私は考えます。

とくにひどいのは英国の病院です。フランスも、政治的、経済的に行き詰まっていますが、病院だけは、英国よりも機能しています。

いま英国を襲っている経済的苦境は、ＥＵ離脱自体が問題ではなく、国内の産業基盤を再生するための具体策がないことが原因です。要するに、国内産業を担うエンジニアがいないのです。ヒステリックなほどにロシアに対して強硬なのも、ＥＵ離脱後の英国がパニックに陥っているからだ、と私は見ています。

## ドイツにも戦争を仕掛けた米国

**佐藤**　戦後、平和主義的に対応していたドイツも、急激に好戦的になりましたが、なぜでしょうか。

**トッド**　ドイツは、ロシアとは歴史的に両義的な関係にあり、親露感情と反露感情が共存していますが、冷戦終結後、ドイツは、かなり露骨に、自らの経済勢力圏を東欧からロシアのすぐ近くまで拡大していきました。ロシアへの過度な圧力という点で、今回のウクライナ戦争は、ドイツにも責任の一端はあると思います。

　ちなみに二〇一五年刊の『「ドイツ帝国」が世界を破滅させる』（文春新書）で、「ドイツに支配された欧州VS米国」という新たな対立の可能性を指摘しましたが、当時の私は、ウクライナ危機に関して、米国よりドイツの責任の方を強調していました。

　しかし今は状況が異なります。ウクライナ情勢を動かしているのは、ドイツよりも米国です。私が思うに、米国が、近年のある時点から、それまでその力を過小評価していたドイツを「脅威」と認識し始めて、EUを支配するドイツを抑えにかかり、日本と同じように、「米国の保護領」という地位に再び戻したのです。

そもそも、ウクライナ戦争に伴う対露経済制裁で最も打撃を受けるのは、ドイツの産業界です。米国は、ドイツ経済を弱体化させることを狙って経済制裁を科している、つまり、米国はロシアだけでなく、ドイツを相手に戦争をしているのも同然です。パイプラインの破壊で最も被害を被《こうむ》るドイツは、米国、英国、ポーランドによる破壊だと分かっているのに、それを口にできないでいるのではないか。

**佐藤**　当然そこはプーチンもよく分かっていて、二〇二二年一〇月一二日の演説で、〈「ノルドストリーム」を妨害した黒幕は誰なのか？　明らかに、ロシアとEUの関係を永久に断ち切りたい人々、最終的にヨーロッパの政治的主体を弱体化させ、その産業の潜在力を弱め、市場を手に入れようとしている人々です。（略）競争力の点でロシアからのパイプラインガスに明らかに劣る米国からの液化天然ガスを欧州諸国に大規模に押し付けることが、実際に可能になったのです〉と述べています。

**トッド**　米国は、同盟国にこんな仕打ちをしているわけで、ドイツに起こることは日本にも起こり得る（日露の分断は米国の利益になる）、と考える必要があります。

## ポーランドの動きに注意せよ

**佐藤**　トッドさんが、「ポーランドの動きに注意せよ」と早くから指摘されていたのも重要で、欧州でポーランドは実力以上の影響力を持つようになっていますね。

**トッド**　NATOのかつての主要メンバーは、米、英、仏、独でしたが、いまや米、英、ポーランド、ウクライナが実質的なメンバーで、独仏は軽んじられています。すでに数千人のポーランド人がウクライナで戦っています。いま起きているのは、「ロシアによる侵攻」というより、英、ポーランド、ウクライナを従えた米国による「ドイツ（欧州）の囲い込み」なのです。

ポーランドには、ロシアへの強烈な憎しみが存在します。ウクライナもそうですが、一種の精神的な空白があって、憎しみを燃料に生きていくしかないような、ロシアを憎むことが自分たちの存在意義になるような状況があるのではないでしょうか。

しかしロシアは、今の世界で、英米中心文明のあり方に抵抗する「反植民地主義的で多様性を擁護する保守」の極となりつつあります。しかも、ロシアのやり方を他国に押しつけようとはしていない。それがヴァルダイ演説です。

**片山**　英米流のグローバリズムに対して、ロシア的な「棲み分け」というビジョンは、欧米中心主義ではないトッドさんの学問からも大いに学べるところですね。

**トッド**　大事なのは、自分の価値観を押し付けない謙虚さです。その点、日本は、世界から離れて閉じこもりがちですが、他国への謙虚さという美点を持っています。やたらにメッセージを出さない、その謙虚な態度自体が、世界に対するメッセージになるかもしれません。

**片山**　「特殊主義的特殊主義」だから発信できるメッセージですね。

**佐藤**　「我々が発信しない」ということに意味を見出すのは、外部からしかできませんから、貴重なご指摘です。

**トッド**　もうこの歳なので、欲しいものもないのですが、もしそこを評価されて、愛する日本の勲章でももらえたら、うれしいですね。もちろん冗談ですが（笑）。

**（通訳・堀茂樹）**

# 3　トッドと日本人と人類の謎

片山杜秀＋佐藤優

## 「西洋人」は「未開人」である

二〇二三年一月一五日収録、その後、一部加筆

## 「知的な洗練度」と「社会的影響力」——ハラリとトッド

**片山**　昨年（二〇二二年）のエマニュエル・トッドさんの来日中に、トッドさんを囲んで、『我々はどこから来て、今どこにいるのか？』（文藝春秋）をめぐって鼎談《ていだん》しました（本書第2章）。ここでは佐藤さんと二人で、この本について、細部にまでより突っ込んで議論できたらと思います。

**佐藤**　トッドさんのこの本を前にして考えざるを得ないのは、言論の「中身」と「影響力」の関係です。英国で活躍した社会人類学者のアーネスト・ゲルナーは、『民族とナショナリズム』のなかで、「言説」を四つに分類しています。

①知的な洗練度が高く、社会的影響力もある言説。
②知的な洗練度は高いが、社会的影響力はない言説。
③知的な洗練度は低いが、社会的影響力はある言説。
④知的な洗練度が低く、社会的影響力もない言説。

要するに、「知的な洗練度」と「社会的影響力」は無関係で、それぞれ独立した変数である、とゲルナーは言っているわけです。

トッドさんに今度、お会いできたら、「ユヴァル・ノア・ハラリのような存在が出てきたことをどう思っていますか？」とぜひ尋ねてみたい。

**片山**　ハラリの『サピエンス全史』は、五〇以上の国で刊行され、全世界で二〇〇〇万部以上売れたようですね。漫画化までされている。「世界のエリートたちが一堂に会する」と言われているダボス会議（世界経済フォーラム年次総会）でも、ハラリは、二〇一八年、二〇二〇年に「基調講演」を行なっています。他方、トッドさんがダボス会議に呼ばれることはないでしょう。

**佐藤**　ダボス会議で重宝されるハラリの言説は、トッドさんから見れば、まさに「知的な洗練度は低いが、社会的影響力はある言説」ではないでしょうか。『サピエンス全史』とトッドさんの『我々はどこから来て、今どこにいるのか？』は、「人類史」という同じテーマを扱っているようでいて、似て非なるもの。知的な洗練度がまったく違います。本のなかでハラリには一言も言及していませんが、おそらく「似非《えせ》歴史家」だと思っているのではないか。

ロシアでは、トッドさんは、「ダボス会議的なものに抗する知識人」として扱われています。今年のダボス会議の期間中（二〇二三年一月二一日）に、ロシア国営放送「チャンネル1」の夜九時からのニュースで、トッドさんの仏『フィガロ』紙のインタビュー（本書第5章）が「ダボス派」を怒らせたと紹介されていました。

**片山**　「第三次世界大戦が始まった」という二〇二三年一月一二日の記事ですね。ウクライナ戦争について、これまでフランスでは発言を控えてきたのに、日本では『第三次世界大戦はもう始まっている』（文春新書）を刊行し、一〇万部にも達したことを受けて、「なぜフランスではなく日本で出版したのか？」という記者の質問に答えています。

**佐藤**　このインタビューは、ロシアだけでなく、多くの言語で記事がそのまま訳されたり、要旨が紹介されたりしています。確認できたものだけでも、英語、ドイツ語、イタリア語、スペイン語、ポルトガル語、オランダ語、スウェーデン語、フィンランド語、デンマーク語、リトアニア語、ポーランド語、ハンガリー語、ルーマニア語、チェコ語、スロバキア語、スロベニア語、クロアチア語、ギリシア語、トルコ語、ブルガリア語、アルバニア語、インドネシア語、タイ語、中国語……。とにかく世界中で話題になっています。ちなみに韓国では、新書『第三次世界大戦はもう始まっている』の翻訳が、すでに刊行されています。

ただ、全体としては、「トッド的言説」よりも「ハラリ的言説」の方が今の世界で圧倒的に影響力をもっています。これは、本当に考えるべき問題です。「支配的な思想とは、支配者階級の思想である」（『共産党宣言』）というマルクスとエンゲルスの言葉通りの世界になっている。

「こういう紛《まが》いものに人々が惑わされるのはよくない」という姿勢がトッドさんには感じられます。どこか「預言者」的なところがあって、私はそういう「知識人としてのあり方」に興味を覚えます。

**片山**　「人類は飢饉、疾病、戦争という問題を解決しつつある」（『ホモ・デウス』）というハラリは、トッドさんからすれば、まさに「偽預言者」でしょうね。

## ひろゆき氏のニヒリズム

**佐藤**　「偽預言者」かどうかは別にして、「今の日本で最も影響力をもつ論壇人」として無視できないのは、「2ちゃんねる」の開設者のひろゆき（西村博之）氏です。「今の日本を統治している原理」に最も近い言説ではないでしょうか。多くの言論人が彼をキワモノ扱いしていますが、侮《あなど》ってはいけません。彼は「ナラティブ」の天才です。

**片山**　YouTubeやTwitterでの存在感は圧倒的です。

**佐藤**　彼の「思想の力」を過小評価してはならず、真剣に分析する必要があると思います。

ベストセラーの『1％の努力』（ダイヤモンド社）を読めば分かりますが、彼は、ニヒリズム（虚無主義）を身体化しています。ただ、国家権力との対峙だけは避ける。「国家権力を敵に回した個人は必ず敗れる」と、ホリエモン（堀江貴文氏）の例から学んだからでしょう。今日の日本で、こうした「国家権力との対峙は回避するニヒリスト」が強い影響力を持っていることをどう考えるべきか。

**片山**　少なくともトッドさんは、そういうニヒリズムやシニシズムとは、距離をとっています。「教育における不平等」や「メリトクラシー（能力主義）」を問題視する姿勢からそれが伝わってきます。

## 不平等をつくりだすメリトクラシー（能力主義）

**佐藤**　「メリトクラシー（能力主義）」の問題は、この本の重要テーマの一つです。

**片山**　「教育（能力主義）」は、本来、人々の間に「平等」をもたらすものであるはずなのに、「高等教育」が広く普及し、以前はごく一部だった大卒エリートが大衆化し、ただその後、大卒が一定の割合に固定化された結果、今日では「教育（能力主義）」が「不平等」をつくりだすような状態になっている。トッドさんは、この行き過ぎたメリトクラシーを問題視しています。大学はいまや「人々をランク付けする不平等製造マシン」でしかなく、能力主義（学歴主義）が「社会の分断」をもたらしている、と。そして〈今や明らかにアカデミアは、社会の階層秩序化への貢献を最大の存在意義としている〉（下巻、六一頁）とまで断じています。

**佐藤**　ポピュリズムの擡頭《たいとう》やトランプ大統領の誕生の背景にも、メリトクラシーの問題があるとして、「教育」と「民主制」の関係を徹底的に掘り下げているのが、この本の重要なポイントです。まさに「高等教育に侵食される民主制」（第12章のタイトル）です。

**片山**　メリトクラシーの問題を一九五八年の時点でいち早く指摘した学者として、イギリスの社会学者マイケル・ヤングを評価して、彼の言葉を引いています。

〈新しい制度（編集部注――メリトクラシー、能力主義）のもとでは、上流階級の地位はさらに高くなり、下層階級の地位はさらに低くなって、階級間の差は古い制度のときよりひどくなった。（略）一世紀前は、下層階級は自分自身のイデオロギーをもっていて（略）上の人たちを攻撃するために、そのイデオロギーを使用することができた。（略）しかし新しい状況のもとでは、下層階級は社会の一般精神と対立するようなはっきりしたイデオロギーはもてない〉（『メリトクラシー』窪田鎮夫・山元卯一郎訳、至誠堂選書、一九八二年）（下巻、五二―五三頁）

以前の「階級社会」よりも、「格差」はむしろ広がってしまったということです。

**佐藤**　しかも、「能力主義（学歴競争）」の「負け組」は、「能力主義（学歴競争）」

というルール自体を批判できない。〈絶望に追い込まれた人たちは、（略）自分自身に怒りを向けて、（略）ますます絶望におち込む〉（『メリトクラシー』）（下巻、五三頁）しかない。

**片山**　そうした競争はますます激化していて、トッドさんは、「学歴の高さ」と「知性の高さ」はもはや無関係だとしています。

〈人はもはや、高等教育レベルの学びに勤《いそ》しむときに、知的・精神的な自己解放を目的としていない（略）。今日では、人が高等教育レベルに就学するのは、野心的であるならば社会というピラミッドの上層部に到達するためであり、良家の子女ならばその上層部にとどまるためであり、庶民の出であるならば「落ちこぼれ」ないためである。選別がますます苛酷化し、それに応募する者たちに、社会の各方面で一般化した競争への服従と順応の態度を強《し》いている。権威と不平等、これこそがアカデミアの秘密のスローガンだ〉（下巻、六一頁）

## IQのいかがわしさ

**佐藤**　今の日本でも、「教育格差」に関して、「知的能力の差は、ほとんどが生得的なものなので仕方がない」といったシニシズムが広がっているように感じます。この点、大きな影響力をもってきたのが、「ＩＱ（知能指数）」という米国発祥の概念です。

**片山**　トッドさんも「ＩＱ」概念が普及した経緯を詳しく取り上げています。

〈一九七一年、すなわち、高等教育普及の進展が停止してから辛《かろ》うじて数年経ったという時期に、ハーバード大学の心理学教授リチャード・Ｊ・ハーンスタイン（一九三〇～一九九四）が、『アトランティック・マンスリー』誌に、《ＩＱ》（知能指数）という非常にシンプルなタイトルの論文を発表し、人びとに衝撃を与えた。彼はその論文で、知能指数に差があり、その指数が諸個人の社会的パフォーマンスに確実な影響を与える以上、不平等は今後とも解消しないと断定していた〉（下巻、五五頁）

**佐藤**　〈知能指数も、フランスではたいてい、胡散臭《うさんくさ》い、怪しげな概念だと思われている〉が、〈イギリスと米国では、職業的なイデオローグらが、人類は知能と能力の差によっていくつかのグループに分離されて当然だという信念を公然と表明した〉（下巻、五九―六〇頁）として、米英から新自由主義が生まれた思想的背景を説明しています。そこには「ＩＱ的人間観」があったわけです。

**片山**　ＩＱによって「社会の階層化」と「不平等」の〈自然主義的正統化〉（下巻、五六頁）を行なう言説と、マイケル・ヤングの言説をトッドさんは明確に区別しています。ＩＱを普及させたハーンスタインの共著本（『鐘状曲線――アメリカ生活における知能と階級構造』）については、〈私は彼らの本を刊行直後に読み、むかつきを覚えた〉（同前）と、珍しく感情を露《あら》わにするのに対して、マイケル・ヤングについては、〈イギリス労働党の党員であり、教育分野の活動家でもあって、破局が訪れる前にイギリス左翼に向けて警鐘を鳴らそうとしたのだった〉（同前）と述べています。

**佐藤**　「教育格差」と「経済格差」を前にして、一方は、「生まれつきの能力の違いだから仕方がない」とし、もう一方、つまり、マイケル・ヤングは、「どうにかしなければ、大変なことになる」と、左翼の立場から強烈な危機感を表明しています。

**片山**　要するに、左翼の高学歴エリート層が、社会の大多数の労働者や大衆から遊離したことが、社会の分断と荒廃を招いた、というのがトッドさんの問題意識ですね。高学歴エリートは、「人類」（という抽象概念）を愛しているけれども、たとえば、トランプ支持者のような同じ社会で苦しんでいる「低学歴の人々」には共感していない。ということは、「左派（リベラル）」であるはずの彼らは、「自分より低学歴の大衆や労働者を嫌う左派」という語義矛盾の存在、実質的に「体制順応主義」になっている、と。

〈今日、アカデミックな世界の公式イデオロギーは「リベラル」、つまり進歩主義であり、左翼である。（略）しかし、それでいて、アカデミアが客観的に果たしている機能は、むしろ平等の破壊なのだ〉（下巻、六一頁）

つまり、「学歴」と「左派」が結びつき、「高等教育」が「格差是認」につながった結果として、「エリート主義VSポピュリズム」という分断が生じているわけです。

**佐藤**　こういう問題意識に、トッドさんの「知識人としての立場」がよく表れています。

今の日本で教育格差やメリトクラシーの問題を象徴しているのは、『二月の勝者——絶対合格の教室』という漫画作品だと思います。『週刊ビッグコミックスピリッツ』で連載されていて、「中学受験は課金ゲーム」「親はスポンサー」「子供を合格に導くのは、父親の経済力と母親の狂気」という過激な言葉とともに、「絶対に全員志望校に合格させる」と断言する塾講師が主人公の漫画です。単行本はすでに累計三〇〇万部も売れている。子供に中学受験をさせる親たちのスタンダードになっていて、「こうすれば合格させられる」というマニュアル的な読み方もされています。

難関校の中学受験では、高校レベルの数学の問題が出されるまでになっていて、受験競争が低年齢化しています。しかし、それほど熾烈《しれつ》な試験を一二歳で突破しても、大した大人になるとは限りません。「二月の勝者」が幸福になれるとは限らない。

**片山**　確かに、行き着くところにまで行ってしまった感があります。

**佐藤**　生物の進化において、一度進化の方向が決まると、ある程度その方向への進化が続くように見える現象を「定向進化」と言いますが、日本はこの分野でまさに「定向進化」で独自の発展を遂げて、末期症状を呈している。「必要なのは親の狂気」というのは、「時代が下れば下るほど、極端な精神主義に走った戦前の日本」を描いた片山さんの『未完のファシズム』（新潮選書）をも思い起こさせます。公立の中高出身者や地方出身者も混ざっていた日本のエリート層の「原体験」が変わってきてしまうことが、一番心配です。

**片山**　それこそエリート層が「二月の勝者」ばかりになれば、「教育による格差」も、「いったい何が問題なのか？」ということになりかねません。

## インテリジェンス分析の基礎になる本

**片山**　ところで、佐藤さんは、政府の若手職員を対象とした研究会で、「インテリジェンス分析の基礎になる本」として、トッドさんのこの本を取り上げているそうですね。

**佐藤**　対面やオンラインの会合ではなく、課題を出して、一週間に三回ずつ添削を行なう勉強会ですが、「自分の部下が外国のエージェントとセックスして結婚するつもりだと言ったときにどう対応するか」といった下世話だけれども実践的なケーススタディとともに、この本を取り上げています。

ただ、日本の大学院で言えば、修士二年目の演習で取り上げるようなレベルの中身なので、政府に採用されるような、旧帝大・早慶出身者中心の優秀な彼らにとっても、相当に難しい本のようです。今のところは、「直系家族とはどういうものか」「なぜロシアにおける女性の地位は高いと言えるのか」といった、トッドさんの基本的な言説に追いついていくので精一杯という感じです。章ごとに精読して、今ようやく上巻を終えたところで、この本の意義を突っ込んで論じ合うまでにはまだ至っていません。しかし、考え抜かれた信頼できる翻訳なので、努力して地道に読んでいけば、必ず理解できるし、新しい発見がたくさんあるはずだ、と励ましています。

## 「日本という謎」を理解するために

**佐藤**　この本は単なる「学術書」ではなく、「行政官にも実践的に役に立つ本」です。トッドさんの本を「補助線」にすると、日本に関する「謎」も解けます。

日経新聞を読んでいると、ウクライナ戦争に関して、おそらく多くの人にとって、普通に読んだだけでは理解できないと思われる記事に出会います。

たとえば、「ロシア産石油の価格に上限を設定する」というG７の措置に関して、日本が関係するサハリン２についてだけは、「二〇二三年九月三〇日まで期限付きで例外扱いとする」という記事が出ていました。

そして二〇二二年末に、「二〇二三年一月一日から国内損害保険会社がロシア海域で戦争による船の沈没や接収を補償する保険の提供を停止する方針を固めたため」、サハリン2からの液化天然ガスの輸入が停止する恐れがある、という記事が出たかと思うと、わずか数日後には、「国内損害保険会社がロシア海域で戦争による船の沈没や接収を補償する保険について、二〇二三年一月以降も従来の引受額を継続できる見通しとなった」という小さな記事が出ていました。

**片山**　一見、訳の分からない動きですが、日本政府も水面下で国益を守ろうといろいろ動いているわけですね。

**佐藤**　「価値の体系」（本書第2章）の次元では、G7と一体化してロシアを批判していても、「利益の体系」の次元では、日本は、G7とは一線を画している、ということです。

先日お会いした水産加工会社の社長も、「佐藤さん、日本はロシアの海産物を自由に輸入できています。まったく規制がないからです。蟹《かに》などは、以前よりも少し値段が下がっているくらいです」と話していました。日本がロシア産水産物の禁輸を見送る一方で、米国が全面輸入禁止にしているので、その分が回ってくるそうです。

**片山**　通常なら「日本特有の曖昧《あいまい》な態度」「欧米から見て不可解な日本」と片付けられてしまいがちのところですが、「ロシアとの良好な関係は日本の国益に適う」という立場のトッドさんからすれば、日本の動きは「理に適ったこと」になります。

**佐藤**　一見、チグハグに見える日本の行動も、トッドさんの議論をもってすれば、一定の整合性があるように説明できるということです。

つまり、トッドさんの本を我々が読む最大の意味は、「日本という謎」を理解できるところにある。かつてルース・ベネディクトの『菊と刀』が果たしたような役割です。「なんであんな戦争をしたのか？　我々自身もよく分からなかったところが、『菊と刀』を読んで、何となく分かった気になった」という感じですね。

**片山**　確かに、トッドさんの本は「日本論」として読むと、いっそう面白く味わえそうです。

## ピケティのトッド評――「家族構造」は不変なのか

**佐藤**　トマ・ピケティの『21世紀の資本』（みすず書房）については、この本でも度々言及されていますが、来日時に対談した際（『AERA』二〇一五年二月二三日号）、「トッドについてどう思う？」とピケティに直接、尋ねたことがあります。すると「トッドは友人だからよく知っているけれども、トッドの議論だと『家族構造は変わらない』となってしまうが、僕は『もっと可変的なものだ』と思っている」と。その時、「なるほど、トッドの言う『家族構造』をピケティはドーキンスの言う『ミーム（文化的遺伝子）』のようなものと見ているのだ」と思いました。

**片山**　確かにトッドさんの議論は、ある種の「決定論」に見えるところがあって、この本でも、〈「家族」から社会や歴史を捉える私の方法論は、母国フランスでは、当初から「保守反動的」「人種主義的」「決定論的」だとぼろくそに非難されました〉（上巻、一頁）と記しています。

　それに対して、「家族構造」も、「なかなか変わらないものだけれども、変わりうるものだ」として、こう述べています。

〈多様な家族システムの輪郭を定め、それらの分布図の作成を可能にする類型論を用意することは、いうまでもなく不可欠である。しかしながら、そうした分析の道具に囚われて、「システム」が現実には「動的」で、絶え間なく推移している、大抵の場合、それぞれの特徴を強化する方向へと推移していることを忘れてはならない。「動的システム」というこの概念が特に重要なのは、ドイツと日本に注目する場合だ。この両国における家族の型は、安定的であることから程遠く、中世になってから現れた型なのである。日本とドイツの直系家族の歴史を研究すると、その構造的特徴が一四世紀から一八世紀にかけて完成したこと、そして一九世紀に、ときには二〇世紀に入ってから、その硬直性に拍車がかかったことが確認できる〉（上巻、六八頁）

**佐藤**　具体的に言えば、日本の「直系家族（長子相続制）」は、およそ鎌倉時代以降に定着したもので、〈長子相続制は数世紀かかってようやく国の津々浦々に普及したのであり、完成したといえるのは、一九世紀末、明治維新後の決定でそれが国の民法典に明記され、ほかでもない皇室に適用されることになったときであった〉（上巻、九七頁）と述べています。

「家族類型論」が抱えるジレンマ――「家族構造」は不変なのか、可変なのか――は、トッドさん自身が強く意識していることで、「解くべき歴史的問題――直系家族の比率（あるいは連続変数としての家族構造）」と題したコラム（上巻、二四六―二四九頁）で取り上げています。

　たとえば、「出生率」が「量的な連続変数」であるのに対して、「直系家族」という「家族型」は「質的な非連続変数」です。この点にまず注意する必要があります。

〈家族型は質的概念であり、数学的な意味において不連続である。したがって、この概念が遠い時代の歴史的現実を記述するには不充分だということを、われわれは認めなければならない。もしデータ上可能ならば、われわれは直系家族をほかのさまざまな量的連続変数――識字化、出生率、プロテスタントの比率、宗教実践、キリスト教民主党への、社会民主党への、はたまた国家社会主義党への投票など――と同じように扱うべきなのだ。つまり、個々の国と、その国を構成する各地域に、年代ごとの直系家族率を付与すべきなのである。試しに、厳密には正当化できない数値を想定してみよう。オック語地域またはドイツで一五〇〇年頃には直系家族が四〇％、一八〇〇年頃には六〇％、そして普通選挙が安定したか、確定したかの時期にあたる一八七〇年頃には八〇％だった、というように。この比率が勘定に入れるのは、直系家族モデルの社会的・地理的拡大であり、長子相続と同居という規範の強さである。すると、教育や宗教やイデオロギーに関する他の変数との符合が遥かに明確なものとなるだろう。直系家族に関するジレンマ（略）、すなわち直系家族はダイナミズムを生むのか、それとも社会的硬直性の原因なのかを見分ける際の困難も遠のくだろう。直系家族率が四〇％ないし五〇％であれば、社会はダイナミックに機能するが、それが七五％に達したり、それ以上になったりすると硬直する、というようなことが言えるだろう〉

## 「完璧さ」を過剰にめざす直系家族社会

**佐藤**　これは、決して方法論上の些《さ》末《まつ》な問題ではなく、「直系家族」の日本にとっては、かなり大きな意味をもってきます。鎌倉時代以降の日本は「直系家族」と分類できるとしても、「鎌倉時代の直系家族」「江戸時代前期の直系家族」「明治時代の直系家族」「戦後日本の直系家族」では、それぞれ内実が大きく異なる、ということだからです。

**片山**　〈直系家族がそれ自体としてあまりにも申し分のない完璧なものになると、そのことがかえって社会を閉塞させ、瀰《び》漫《まん》性の麻痺状態に陥らせる。あるレベルの完璧さを超えると、直系家族という人類学的タイプは、加速の要因と同じくらいに硬直性の要因となるわけである〉（上巻、二六四頁）という指摘は、現在の日本の閉塞感を見事に言い当てています。

**佐藤**　英米の核家族社会が得意とする「創造的破壊」に関して、こうも述べています。

〈シュンペーターは、資本主義ダイナミズムの中心に「創造的破壊」のメカニズムを看て取った。おしなべて経済の形態はある時点で必ず旧式なものになってしまうのが運命なので、新しい技術と新しい企業が絶え間なくそれに取って代わるというのである。ところが、直系家族は創造的破壊を得意としない。なにしろ、この家族システムの目標は無限の完璧化なのだ。少なくともそれが、「完成した」直系家族の機能であり、それ自体としても相当な完璧さの域に達した再生産のメカニズムなのである〉

（上巻、二六三頁）

片山　平たく言うと、英米の「核家族（子供が親元を離れる）社会」は、「世代交代」や「創造的破壊」を得意とするのに対し、日独の「直系家族（長子が親と同居する）社会」は、「（知識や技術の）世代継承」や「キャッチアップ」を得意とし、ただしどこかで「硬直化」してしまう、ということです。確かにこう言われると、「外圧なしにはなかなか自己変革できない日本」の核心を突いている気がします。

## 「自由」という理想も「自由」に選べない

片山　ただ、「直系家族」の内実は時代によって変わるにしても、それは意識的に変えられるようなものではありません。ましてや核家族社会のイギリスが突然、ロシアのような共同体家族社会になるようなことは、絶対にあり得ない。「家族構造」は、個人やその社会が自由に選び取れるものではない。ですから、「家族構造」にもとづく「価値観」も、トッドさんによれば、自由に選べるものではない。「自由」という理想も「自由」に選んでいるわけではない、ということになります。

〈イデオロギーを家族によって説明する理論が提示する根本的なパラドクスは、自由という理想への同意それ自体が決定されている（＝自由ではない）ということなのだ。自由の理想は、核家族——結婚した一組のカップルとその子供だけで形成される人類学的形態——を伝統とする地域で開花する。核家族における世代間の関係は、ロックやルソーの政治哲学が現れるのを俟《ま》つまでもなく、もともとリベラルなのだ〉（上巻、四一頁）

**佐藤**　逆に、〈核家族システムに馴染んだ男女は、共同して全体主義社会を建設する自由を有していない〉（上巻、四一頁）。つまり、イギリス人は、「ファシスト」や「コミュニスト」になる「自由」を有していない、ということになるわけです。

**片山**　〈政権交代をともなう自由主義的民主制が容易に定着したのは、ヨーロッパでも、イギリス、フランス、ベルギー、オランダ、デンマークといった核家族システムの国々においてだけだった。スウェーデンの体制は、社会民主主義の支配をあまりにも長きにわたって継続させたので、厳密な意味では自由主義的と見做《みな》し難い〉（下巻、一九頁）とも指摘していて、トッドさんに言わせれば、「日本で政権交代がなかなか起きないのは〔スウェーデンと同じく〕直系家族社会だからだ」となります。

## 韓国をどう見るか――「人類学的基盤」を無視した改革の末路

**佐藤**　金敬哲《キムキョンチョル》さんの『韓国　行き過ぎた資本主義――「無限競争社会」の苦悩』（講談社現代新書）という優れた現代韓国分析の本がありますが、トッドさんの韓国評価（「圧縮された近代」）と響き合うものがあります。

〈子供の数が少なければ少ないほど、高い消費水準と外見的にモダンな生活水準により早く到達できた。これらのケースを表現するために、私は、チャン・キョンスプ（張慶燮）〔韓国の社会学者、ソウル大学教授〕が提示した「圧縮された近代」（compressed modernity）という概念の修正版を提案したい。たしかに、短期間で先進国のモデルに追いつこうとすれば、代償は避けられない。強いられる近代化の加速が文化的なひずみを生むわけで、そのひずみの一つが、早期に際立った形で現れる出産率の低下であろう。もっとも、チャン・キョンスプは、「圧縮された近代」の概念を韓国の直系家族の反個人主義に関係づけている。その価値観は、子供を産むことと、産んだ子供をグローバル競争に参加できるレベルにまで教育することと、年老いた親の世話をすることを、同時に課すのである。「個人主義なき個人化」という概念を含むこの解釈の大部分は、ドイツと日本の分析にも適用できるだろう。ドイツと日本は先進国ではあるが、両国の人口に顕著な不均衡は、直系家族的価値観が「西側」から来たウルトラ個人主義に適応しないことにも起因している。ただ、韓国の場合には、近代化の時間的圧縮——これはスペインの状況と共通する特徴である——こそが、出生率の極端な低さ（僅《わず》か一・二人）の説明に貢献する。実際、その低さは、ドイツと日本が一度も達したことのないレベルであり、直系家族という要因だけでは説明しがたい〉（下巻、一六五頁）

　トッドさんは、韓国の専門家ではないのに、非常に鋭い洞察をしている。要するに、韓国は、一九九七年の通貨危機後のＩＭＦ（国際通貨基金）主導の構造改革で、自国モデルとは異なる「アングロサクソンモデル」に過剰適応したわけです。その結果、一部の輸出企業は潤い、ＧＤＰなど、経済統計上は華々しいパフォーマンスを見せつつも、そのしっぺ返しとして、急激な人口減少を引き起こしている。しかも六年前に書かれたこの本では「一・二」と記されていた韓国の出生率は、いまや「〇・八一」にまで下がっていて、まさに「圧縮された少子化」が起きています。

モスクワでの些細な出来事を思い出すのですが、アパートにゴキブリが湧いてくるので、ホウ酸団子を山ほどつくって置いておいたら、米びつに虫がたかるようになったんです。ゴキブリが虫を食べていたわけです。ゴキブリもある程度いないと、米びつを保全できないと、この時、皮膚感覚で分かりました。中国の大躍進運動でも、スズメを害鳥として徹底的に駆除したら、農作物を食い荒らすイナゴが大量発生して、大飢饉が起きました。「社会的実験」の恐ろしさです。同じことがいまの韓国で起きている。

**片山**　トッドさんの言う「人類学的基盤」を無視して、国家の強権によって人為的に制度を変えると、必ず「副作用」が生まれる、ということです。

## 柄谷行人とトッド

**佐藤**　私が面白く思ったのは、「ゾンビ」という概念です。ある宗教が消滅した後も、その宗教に由来する社会的信念が「ゾンビ」のように影響を与え続けることについて、「ゾンビ・カトリシズム」や「ゾンビ・プロテスタンティズム」といった概念を用いています。日本について言えば、三世代同居が実際には見られなくなっても、直系家族に由来する価値観がいまだ残存していることを「ゾンビ・直系家族」と名付けている。つまり、「ゾンビ」とは、「目に見えないが確実に存在するもの」「霊のように影響を与える力」で、このあたりは、『力と交換様式』での柄谷行人さんの発想と似ているところがあります。

**片山**　柄谷さん自身も、池上彰さんとの対談（『週刊文春』二〇二三年一月五日・一二日号）で、〈僕自身は、以前から気になっているのが、エマニュエル・トッドです。奇妙に、考え方が似ていたからです〉と述べていました。

## 知識人としてのあり方――普遍主義と多様性

**佐藤**　古い言い方をすれば、トッドさんのスタンスは、少し「新カント派」的な感じがしませんか。

**片山**　確かに、単なる「実証主義」や「相対主義」ではなく、「当為（なすべきこと、あるべきこと）」や「価値」の問題を提起しているところは似ているかもしれません。

**佐藤**　日本の大学の人文学は、一九八〇年代にポストモダン思想が席巻《せっけん》するまでは、「実験が可能な法則定立を目的とする自然科学」とは峻別《しゅんべつ》された「実験が不可能な精神科学」「抽象による個性記述」、要するに「価値」を重視する新カント派の伝統に立っていました。しかし、ポストモダン思想が新カント派的な学問姿勢を一掃してしまい、現代思想ブームが過ぎ去った今も、過度な相対主義とシニシズムばかりが幅を利《き》かせています。

**片山**　トッドさんには、ポストモダン思想やフランス現代思想の影響は、ほぼ感じられません。

　これまで歴史観をめぐっては、「世界史はかくあるべし」という一つの方向に収斂《しゅうれん》していく「大きな物語」と、「民族、文化、文明ごとにそれぞれの道がある」という「棲み分け論」、要するに「普遍主義」と「多様性」がせめぎ合ってきたわけですが、トッドさんは、基本的に「棲み分け論」です。ただ、「何でもありの相対主義」でもなく、「いま何を問題にすべきか」という問題意識から、歴史の状況に合わせて価値付けをしているところが興味深い。

**佐藤**　たとえば、ＬＧＢＴをめぐる行き過ぎたジェンダー論や攻撃的なフェミニズムに対しては、「軌道修正をしないといけない」という強い問題意識がある。ポリティカル・コレクトネスが重視される言論空間で、一つ表現を誤れば、「差別主義者」「男権中心主義者」と非難されるのに、敢えてそのリスクを取っています。主流派に逆らって、ユーロ導入や「私はシャルリ」デモに反対したのも同じです。カタツムリが触角で外界を慎重に探るように、社会の反応を見ながら、「いまここで何が言えるか」「いまここで何ができるか」を常に考えている。トッドさんのこうした「知識人としてのあり方」に私は関心を覚えるんです。

**片山**　トッドさんがそういう立場を取るのは、間違った認識が実際に暴力を生みだす、と考えているからですね。〈誤った歴史ビジョンに錨《いかり》を下ろしていると、われわれは現在をデタラメに捉え、そのデタラメさによって無理解、不寛容、暴力を生み出してしまう〉（上巻、五四頁）〈かくして西洋は、中東を爆撃することで、そこにおける「女性のステータス」を高めようなどとする〉（上巻、六一頁）と。

## アカデミズムと現実をつなぐ

**片山**　ところで、トッドさんの曾祖父母はフランス革命によって自由になったユダヤ人の子孫で、そうした出自もかなり意識しているようです。この本でも、ユダヤ人の歴史がかなり詳しく取り上げられています（「第4章　ユダヤ教と初期キリスト教――家族と識字化」）。

**佐藤**　キリスト教神学に「三職（王・預言者・祭司）」という、旧約聖書にもとづく教理があります。その三つの機能をイエス・キリストが担っているという教えなのですが、「王」は世の中を統治する機能、「預言者」は世の中に警鐘を鳴らす機能、そして「祭司」は、人間に対しては「神の言葉を伝える機能」、神に対しては「人間の置かれている状況を代弁する機能」という二つの機能を担っています。トッドさんは、この「祭司」のような役割を担っているようにも見えます。「アカデミズム」と「現実」の間をつなぐ、という強い使命感が伝わってくるからです。

**片山**　それこそ、バベルの塔が破壊される直前のような、メチャクチャな言論状況のなかで、偽預言者やアンチキリストが幅を利かせて、耳ざわりのよい言葉で皆を惹《ひ》きつけている。そのなかで、ユダヤ教の預言者のように、強いリゴリズム（善と悪を峻別する態度）を持ちながら、リスクがあっても、それを是正しようとする。まさにそれが、ウクライナ戦争に関するトッドさんの言動ですね。先ほどの言い方で言えば、新カント派的な「価値」を「理想主義」ではない形で蘇《よみがえ》らせようとしている。客観的な言葉と主観的な言葉のバランスを慎重にとりながら、しかも自分をかなり自由に保っている。過去に言っていたことに拘《こだわ》りすぎずに、必要であれば、現実に合わせて誤りを認めて発言を自由に変えている。そこも、トッドさんの特徴です。

**佐藤**　良い意味で、あまり「学者的」ではないんです。学者は、「理論体系の構築」とか「過去の発言との一貫性」に拘ります。ところが、トッドさんは、この本の仏語版刊行時と五年経った日本語版刊行時で、英米に対する評価がまったく正反対になっています。

**片山**　そうした「軌道修正」は、単なる「誤り」ではなく、いかに「現実の変化」に敏感であるかを示しているのではないでしょうか。

## 日本論としてトッドを読む

**片山**　「日本人による日本論」と「トッドによる日本論」を並べて見ると、とても面白いように思います。

　丸山眞男にしろ、マルクス主義にしろ、戦後思想の主流派は、「日本的家族」を「遅れた日本の象徴」「日本の近代化の阻害要因」として、真っ先に糾弾すべき対象にしました。民法学者の川島武宜《たけよし》などは、「戦後日本の民主化のためには、家族制度の徹底的解明と批判が不可欠である」という強い使命感をもって、「日本社会の家族的構成」や「イデオロギーとしての『家族制度』」といった論文を書いています。

　ところが、トッドさんによれば、「日本の教育水準が高く、急速に近代化・産業化できたのは、日本が直系家族社会だからだ」となります。つまり、戦後のアカデミズムが「近代化の阻害要因」とみなしていた「日本の家族」を、トッドさんは「近代化の促進要因」とみなしているわけです。

もちろん、戦前の日本を全否定する左翼とは別に、明治以降の日本を評価し、さらには江戸時代にまで遡《さかのぼ》って「日本的な特性」を見出して、それをもとに「日本的な近代化」を主張する議論もありましたが、これは当然、日本にしか通用しない日本特殊論です。そこがトッドさんは違って、ヨーロッパとも比較して、「日本のケースは、直系家族のドイツが、家父長的で、長男優先で、識字率が高いのと同じだ」という具合に「人類史的な枠組み」で説明しています。

## 単純すぎた日本人の「西洋像」

**片山**　トッドさんの本を読んで感じるのは、「日本の自己像」をさらに豊かにできる余地とともに、近代以降の日本が常に参照してきた「西洋像」が、あまりに一面的すぎて単純すぎた、ということです。

トッドさんからすると、「ヨーロッパは一つではなく多様」なのに、アングロサクソン的な個人主義や自由主義だけで「西洋」や「ヨーロッパ」を見ていた。まさにそれが丸山眞男や大塚久雄の「ヨーロッパ」観です。

**佐藤**　「ヨーロッパは多様である」というのは、トッドさんの博士論文（「工業化以前のヨーロッパの七つの農民共同体」）以来の主張です。ケンブリッジ大学の博論の指導教官は、英国史家のピーター・ラスレットで、この本でも、師匠に敬意を払いつつ、批判もしていますが（「第9章　イギリスというグローバリゼーションの母体」）、「イギリス的な核家族が普遍的な家族構造だ」という指導教官の主張に、博士論文で真っ向から刃向かったようです。

**片山**　我々が「ヨーロッパはこう」と決めつけて平板化してしまいがちなところを、トッドさんは、「ドイツはこう」「フランスはこう」「イギリスはこう」、しかも「イギリスもスコットランドとイングランドではこんなに違っている」と示してくれる。これまで「カトリック」か「プロテスタント」かという程度の物差ししかなかったところへ、「ヨーロッパをミクロに精密に見る方法」を与えてくれるわけです。

## 柳田民俗学との比較

**佐藤**　片山さんから見て、日本にトッドさんと近い人はいますか。

**片山**　「長い時間をかけて移りゆく歴史」に着目する点では、柳田國男の民俗学は少し近いかもしれません。しかし、柳田民俗学は、さまざまな対象を柔軟に取り入れていくわけですが、良くも悪くも曖昧理論であるのに対し、トッドさんの学問は、データが集まれば集まるほど、細かく切り分けて精緻《せいち》になっていく感じです。

**佐藤**　それは一見、「逃げ道」をつくっているように見えるけれども、「すべてを説明する法則や理論体系」をつくるのが目的ではないから、自然とそうなっていくわけですね。トッドさん自身はこう言っています。

〈「我々はどこから来て、今どこにいるのか？」を知るために、私は本書で人類史の全体的素描を試みる。（略）しかしながら、人間たちの歴史なるものを哲学的かつ絶対的な意味で説明しようとするのではない。実際、私が核家族から父系制へ向かった家族の推移について、また家族構造によるイデオロギーの決定について提示する研究成果は、説明の「断片」にしか行き着かない。（略）すべての考察領域、すべての決定要因、すべての論理を一つの整合的かつ全体的なモデルの中に統合すると主張する

のは無謀な思い上がりであろう〉（上巻、五五―五六頁）

**片山**　歴史を「説明」するよりも、正確に「記述」するのだと強調しています。〈ここで私が提案するのは単に、ドグマティズムに陥ることなしに、経済学者たちや政治家たちの狭隘《きょうあい》なビジョンから身を引き離し、グローバリゼーションを対象として従来よりも豊かな記述をおこなうことに尽きる。広範な良い記述はそれだけで、われわれが今日体験しているものの実体を理解するために大きな支えとなるはずだ〉（上巻、五六頁）

時間的にも空間的にも、これだけ「マクロ」でありながら、同時に「ミクロ」にも対応できるのは、いくつかの学問の「合わせ技」でやっているからです。蛸壺《たこつぼ》化した学問には絶対にできません。

**佐藤**　ロシアの革命思想家ゲオルギー・プレハーノフが言う「歴史における個人の役割」ではないですが、エマニュエル・トッドという傑出した個性なしには不可能です。アカデミズムやエリートの主流派ではなく、マージナルな人（境界線上にいる人）で、そこに強みがある。

片山　ユダヤ系であることも含めて、「真の知識人＝マージナルな人間」という自覚がきっとあるんでしょうね。

## 西洋中心主義ではない――レヴィ＝ストロース批判

佐藤　そこが多くの西洋知識人と違うところで、「西洋」を唯一絶対の存在とみなす「西洋至上主義」「西洋中心主義」とは無縁です。

クロード・レヴィ＝ストロースのように、通常の人類学が「第三世界」を対象としているのに対して、トッドさんの人類学は主に「先進国」を対象としています。そもそも「先進国」と「第三世界」、「西洋」と「非西洋」を究極的には区別しない地平に立っている。それに対して、ユルゲン・ハーバーマス（ドイツの哲学者・社会学者）のような典型的な「ヨーロッパ知識人」は、西欧と北米でしか通用しないような理論を普遍化してしまう。それでいて、来日すると、「日本でも『コミュニケーション的理性』が成立することに大変感銘を受けた」などと驚いてみせる。結局、「非西洋世界」を見下しているだけなのですが。

**片山**　「長子相続制」のように、洋の東西を問わず近代主義者が「マイナス要素」として糾弾するものに対して、「ちょっと待てよ」というのがトッドさんの立場です。そこが日本人としても共感しやすい。右翼も喜んでしまう（笑）。日本で文化人類学者の代表と言えば、やはりレヴィ＝ストロースですが、トッドさんは、この本で、繰り返し批判しています。

〈一人の男性とその母親の兄弟の娘とのあいだの非対称の婚姻（母方交叉イトコ婚）はというと、これはレヴィ＝ストロースが彼のシステムの中心に据えた形態（彼の言う「親族基本構造」タイプ）であるが、ローラン・バリー（フランスの民族学者）が著作『親族関係』で示したとおり、実際には地球上に例が少ない。そして、それが現存している場合には、父系制への変容によって生み出された非対称性の結果の一つであるように思われる（略）。構造主義思想の言う基本的交換は、自然状態を反映しているどころか、歴史の所産なのである〉（上巻、一三九頁）

　この著名な文化人類学者も、トッドさんに言わせれば、「特殊な事例を無理に普遍化して、都合よく理論を構築しているだけだ」となる。確かに「一見、違っているように見える世界各地の現象も、究極的には一つの理論ですべて説明できる」というレヴィ＝ストロースの立場なり方法は、ある意味で、徹底的なヨーロッパ中心主義とも言えます。

**佐藤**　ちなみに、ユダヤ系のレヴィ＝ストロースは、トッドさんの遠い親戚（祖母のイトコ）にあたり、レヴィ＝ストロースから見ると、トッドさんの祖父ポール・ニザンが、イトコの夫にあたり、若い頃、『ル・モンド』紙の「文芸付録」でアルバイトをしていた時に、トッドさんも、レヴィ＝ストロースにインタビューをしたことがあるそうです。話はあまり嚙み合わなかったようですが。

**片山**　やはりトッドさんの方が、レヴィ＝ストロースよりも世界に対して多元的なビジョンを持っています。だからこそ、プーチンのヴァルダイ演説（本書第2章）にも共感できるわけですね。

## 「ロシアの危機」ではなく「西洋の危機」――ウクライナ戦争

**片山**　今日の世界の問題は、「非西洋」ではなく「西洋」にこそある、というのがトッドさんの認識です。この本も「西洋の危機」から話を始めている。一言で性格付けるとすれば、「西洋の危機」の由来を突き止めようとする本です。そして、現下のウクライナ戦争が露呈させているのも、トッドさんに言わせれば、「ロシアの危機」ではなく「西洋の危機」に他なりません。

〈西洋社会では、不平等が広がり、新自由主義によって貧困化が進み、未来に対する合理的な希望を人々が持てなくなり、社会が目標を失っています。この戦争は、実は西洋社会が虚無の状態から抜け出すための戦争で、ヨーロッパ社会に存在意義を与えるために、この戦争が歪んだ形で使われてしまったのではないか、と思われてくるのです。ひょっとすると、この戦争は〝問題〟などではなく、方向を見失った西洋社会にとって、ひとつの〝悪しき解決策〟なのかもしれません〉（『第三次世界大戦はもう始まっている』文春新書）

**佐藤**　「西洋」のなかでも、この戦争に関して根拠のないプロパガンダを最もまき散らしているのが、イギリスです。こんな変わり果ててしまったイギリスに、トッドさんは大いに失望し、また不安も感じています。

〈いまやイギリスは、西洋のなかでも、最も頼りにならない国になっています。ウクライナ軍を武装化してロシアと戦争するように嗾《けしか》けたのは米国とイギリスですが、イギリスは米国以上に、好戦的な姿勢を見せています。私は普段、イギリスのガーディアン紙を読んでいますが、知的エリートが読む高級紙であるはずなのに、滑稽なまでに非合理的な反ロシア感情が紙面を覆っています。このところ、ジェームズ・ボンドのことが頭から離れません。映画「００７」シリーズは、ある意味で、イギリスの誇大妄想の産物で、イギリスの国力が滑稽なまでに誇張されています。ボンドは世界を股にかけて大活躍しますが、当時、実際にソ連と対峙していたのは米国で、イギリスにはそこまでの実力はなかったのです。しかしそれでも世界で受け入れられたのは、ボンドが東西の平和のために尽くしているからで、東西冷戦をユーモラスに捉えるビジョンを示したからでしょう。それに対して、いまのイギリスには、そうしたユーモアや大らかさが欠片《かけら》も見当たりません。現在、ウクライナ戦争に関して、イギリスの国防省が発表しているコミュニケは、根拠のない情報を大量に流し、ヒステリーと言ってよいほどのプロパガンダ作戦を展開しています。米国の方が驚いているほどです。

これをどう捉えればよいのでしょうか。一つの解釈として、ブレグジット後に孤立する不安に襲われたイギリスのエリート層が、「ヨーロッパの代表」として必死に振る舞おうとしている、と考えられるでしょう〉（下巻、三二五―三二六頁）

## 「知識人」の扱い――ナチズムと戦前日本

**片山**　この本は、家族システムの分析だけでなく、「歴史の細部」にも目が行き届いています。確かに距離を置いて見たら、こういう分析になるのかと感心したのは、ナチスドイツと日本（同じ直系家族社会）を比較しているところです。

〈高等教育課程修了者が二〇％しかいないという点で、ドイツの軌道は、その学歴層が三五％に達した日本のそれと分岐している。家族構造であれ、宗教基盤であれ、どんな人類学的規定も、これほど対照的な現実は説明できない。第一次世界大戦前夜の時期におけるドイツの諸大学の高い評判や、ワイマール共和国時代のドイツの知的創造性を記憶している者にとっては、俄《にわか》には信じ難い状況だ。日本の伸張は、キャッチアップ時の直系家族型社会のあり方として正常なので、それよりもドイツの高等教育普及の停滞が説明されなければならない。そして、この場合、解釈は歴史的なものでしかあり得ない。ナチズムによって、ハイカルチャーの一部分と、それを担っていた社会階層が破壊されてしまったのだ。ナチズムは、ユダヤ人も、ユダヤ人でない者も含めて、自国のエリート層のかなりの部分を国外追放したり、大量殺戮《さつりく》したりした。この切除が、長きにわたって埋まることのない空白を作り、その空白が国の軌道に狂いを生じさせ、高等教育の相対的な停滞を招いた。日本の軍国主義は、そのような切除にまでは及ばなかった。要職から遠ざけたり、外出を禁じて監視したり、投獄したりはしたが、知的階層をまるごと殲滅《せんめつ》することはなかった。その結果、日本では後年、無事で残っていた有識の人びとが戦後の復興を導くことができた〉（下巻、一七七―一七九頁）

戦前・戦中には日本にも、死刑や拷問によって命を落とした共産主義者や知識人がいましたが、数から言えば、ナチスによる粛清とは比較になりません。「粛清」ではなく、「転向」を促すなど、体制側に「包摂」しようとしたからです。

**佐藤**　「転向」しない労農派に対しても、「弾圧」を徹底してはいません。癌《がん》で亡くなった大森義太郎の葬儀には、憲兵も来ている。「筋を通す」ことに対する人としての畏敬の念があったからでしょう。

向坂《さきさか》逸郎《いつろう》にしても、自ら農業をやりながら、貧しくも生き延びることができました。ポツダム宣言の受諾直後には、特高警察がわざわざ水筒に牛乳を入れて持ってきて、「また先生がたの時代になりました」と挨拶してきたそうです（『流れに抗して――ある社会主義者の自画像』講談社現代新書）。

あるいは、雑誌『世界文化』で「反ナチズム」の論陣を張っていたことで、一九三八年の京都人民戦線事件で「共産主義者」と疑われて逮捕されたクリスチャンの和田洋一は、『灰色のユーモア――私の昭和史』（人文書院）で、特高とのやりとりをコミカルに描いています。

〈彼ら〔編集部注――特高たち〕は気がむくと、「和田君、風呂へ連れていってやろうか」などといった。（略）彼らはまた「うまいもの、食いに行こうか」と誘うこともあった、そして「払うのは君や、わかってるか」と念を押した。（略）彼らは学歴というものはほとんどなく、中学を出ているかどうかも怪しかった。ひとり明大予科中退というのがいて、（略）この男は予科でドイツ語の初歩を一寸でもかじっていることを得意にしており、したがってドイツ語の先生である私をひじょうにえらい者のように思っていたし、その他の連中も、それぞれ大学の先生を不当にえらい者のように思っていて、屈辱感をあたえるような扱い方を、私にたいしては示さなかった〉

さらには、こんなことまで記しています。

〈木下〔編集部注——巡査部長〕が私に向って思いがけないことを言いだした。「和田先生、あんたは警察の取調べにさいして、さっぱりたたかっておらんではないですか。和田先生がマルクス主義者、共産主義者でないことは、誰よりも一番私がよく知っています。それなのにあんたはマルクス主義者にされてしまって、起訴されようとしている。そんなばかなことはないですよ。和田先生はもっとたたかわなけりゃいかんのに、ちっともたたかわなかった。だめじゃないですか、刑務所へ入れられたりなんかしたんでは、お父さんや奥さんに申し訳がないじゃないですか、先祖にたいしても申し訳がないじゃないですか。（略）まあ留置場へもどって、ひとりになって、睾丸《きんたま》のシワをぐうっとのばして、ゆっくり考えるんですなあ（略）」〉

こんなふうに特高から「戦え」と言われるような奇妙な関係だったわけです（笑）。宮本顕治も、『網走の覚書』（新日本文庫）で、巣鴨の拘置所から網走刑務所に移送された時のことをこう振り返っています。

〈戒護課長でさえ、いよいよ私が網走に送られるとき、「いろいろ不自由さしたが規則だからやむをえなかった。わるく思ってくれるな。どうも君たちのいうようになりそうだ。いよいよ本土が占領されそうになったら中立国のソ連に逃げるより仕方がないが、その節はよろしく頼む」となかば冗談、なかば本気で話しかけたくらいだった〉

いずれも、「戦前の権力の柔らかい構造」に関する証言なんですね。日本には、権力が一元化した全体主義は成立していなかった。まさに片山さんの言う「未完のファシズム」です。

## 「民族」とは何か――配偶者交換が成立する「内婚空間」

**佐藤**　「第3章　ホモ・サピエンス」は、この本の議論の前提をなす章です。〈太古の家族共同体では人びとがひしめき合うように雑居し、性的にも混乱していて、原初的な近親相姦も頻繁だったというような仮説〉（上巻、一四一頁）を斥《しりぞ》けて、「太古の人類は一夫一妻制の核家族だった」と論証しています。

**片山**　さらに細かいポイントをいくつか挙げると、「チンパンジーとホモ・サピエンスの違いは、育児を可能にする持続的な夫婦関係の有無にある」「家族構造は基本的に核家族だったが、必要に応じて、若い夫婦が両親と一時的に同居したり、独りになった老人を彼らの子供たちが引き取ったり、ただし食糧が不足する場合にはその老人たちを切り捨てたり、同じ理由で子殺しも行なわれた」「一夫一妻制を基本としながら、事情により、一夫多妻、一妻多夫、離婚、同性愛も許容されていた」「性別分業があったが、男女は補完的で対等な関係だった」「全体としての平均余命は短くとも、子供のうちに死なずに生き延びた人間たちはしばしば七〇歳位にまで達した」「死亡年齢の最頻値が一五歳の野生チンパンジーとは違って、祖父母・父母・子の三世代にわたる教育のプロセスがあった」などと、「太古のホモ・サピエンス」の特徴を描き出しています。

**佐藤**　その上で、「家族」を超える「人間集団」にも考察を展開しています。

〈群棲、あるいは小集落といった、二〇人、三〇人から一〇〇人程度の集合体を超え、あるテリトリーを占有し、ある共通語を用いる、もっと規模の大きな人口集団に注目することも可能だ。一定の人口の中で配偶者を見つけてカップルを組む「配偶者交換」が実現するのは、そのような集団の内部においてである。この意味で、そのような集団がとりもなおさず内婚の空間となる。ローナ・マーシャルが一九五二年から五三年にかけて研究したクン族の場合、そこには一〇〇〇人ばかりの個人が含まれていた。（略）婚姻は、堅固な構造を持たない社会の内部で成立していたが、母方か父方かを問わず、近いイトコとの縁組みは避けられていた。政治的に編成されていなくても、この集団の人間たちは自分たちを他の類似集団の人間たち――「彼ら」――と区別し、「われわれ」と意識していた〉（上巻、一三六―一三七頁）

　ここで重要なのは「外婚」と「内婚」という言葉の理解です。とくに「内婚」という言葉に注意して、「家族レベルの内婚（イトコ婚）」と「集団レベルの内婚」の違いをきちんと理解する必要があるので、少し整理をしてみます。

　日本でも第二次世界大戦の直後には七～一〇％に達していたという「内婚（イトコ

婚)」は、〈人類史の中ではかなり遅く現れた〉(上巻、一三九頁)という「歴史的産物」です。

それに対して〈ホモ・サピエンスはもともと外婚的で〉〈自分に直結している家族グループの外に配偶者を見つけ〉(上巻、一三八頁)ていました。つまり、もともと人類の「家族」は「外婚」だったわけです。そのことを示しているのが、「近親相姦のタブー」で、これは〈文化事象ではなく、自然選択のプロセスに由来する無意識の行動〉で、〈この禁忌は、生存競争上の有利さをもたらすものとして自然選択された〉(上巻、一四二頁)とされています。

ただし、「外婚」であっても、それは、たとえば「無制限に全人類が対象」となるわけではありません。「親族の外部」に「配偶者」を見つける(外婚である)にしても、それは必ず「一定の集団(空間)の内部」で行なわれます(=内婚)。この集団が「内婚集団(空間)」です。そして、「内婚集団(空間)」に帰属する人間たちは、他の類似集団の「彼ら」と区別して、自分たちを「われわれ」と認識します。

**片山**　トッドさんに言わせると、人類の歴史とは、この「内婚空間」が拡大していく歴史ということになります。ただし、「国家」を超えてさらに拡大していくかというと、そうではなく、いまだ「国家」という枠組みが「内婚空間」として強力に機能している。

〈歴史を通して、いくつかの村をグループ化する小郡から地域へ、地域からネイションへと、一定の人口の中で異性配偶者を見つけてカップルを形成する「配偶者交換」の枠組みとなる基礎人口集団〈内婚の空間〉の拡張を見ていくことができるだろう。信仰を持つ人びとの世界では、カトリシズム、プロテスタンティズム、東方正教、ユダヤ教、イスラム教、仏教等々への宗教的帰属もまた、非常にしばしば内婚空間の輪郭を定め、テリトリーおよび言語の共通性を枠組みとする内婚を複雑化してきた。それだけにと言うべきか、信仰の消失が明らかになるのは大抵、宗教的内婚の途絶と異教間結婚の増加によってである。今日、西ヨーロッパ、米国、ロシア、中国、日本では、グローバリゼーションについてのさまざまな言説にもかかわらず、配偶者交換の統計から見て明らかにネイションが、これまでの歴史のどの時期にもまして標準的な内婚空間になっている。小郡、地域、宗教は、第一義的な統合ファクターとしてはす

っかり影が薄くなった〉（上巻、一三七頁）

**佐藤**　もちろん、国際結婚も行なわれていますが、圧倒的大多数の人々は、配偶者を同じ国家の内部で見つけていますからね。

**片山**　逆に言うと、「内婚が成り立つ集団（空間）」（ここで言う「基礎人口集団」）が「民族」だと人類学的に定義できそうです。

## 「平和は社会的に問題だ」

**佐藤**　しかし、「われわれ」と「彼ら」の区別は、本質的な差異によるのではなく、〈いかなる絶対的アイデンティティも存在しない。ホモ・サピエンスという種において、集団のアイデンティティはつねに相対的である〉（上巻、一五五頁）とも強調していることが重要です。

**片山**　〈どの集団にも、他の諸集団との関係に依存しない絶対的なアイデンティティなど存在しない〉（上巻、一五四頁）ということです。しかし、このことを〈人類は内的攻撃性、同一種内での攻撃性のポテンシャルが大きいことを特徴とする〉（上巻、一五一―一五二頁）という動物行動学者のコンラート・ローレンツやスコットランド啓蒙主義者のアダム・ファーガソンの知見にもとづいて論じているのが、何ともスリリングです。というのも、「民族アイデンティティの相対性」の根拠を「人類の同類への攻撃性」に置いているからです。まさにカール・シュミットの「友・敵理論」を想起させるような議論で、「戦争（敵）がなければ集団としてのアイデンティティは生まれようがない」ということを「人類の悲しい現実」というより、「人類の普遍的なあり方」として位置付けています。

**佐藤**　ですから、〈集団の一体性は、他の集団への敵意に依存する。内部での道徳性と外部への暴力性は機能的に結合している。したがって、外部への暴力性のあらゆる低下は、最終的には、集団内で道徳性と一体性を脅かす。平和は、社会的に問題なのである〉（上巻、一五四頁）と、かなり物騒な結論が導き出されます（笑）。

ただ、別にトッドさんは、「戦争（対外的暴力）」や「集団内暴力」を称揚したいわけではありません。「人間の集団形成には常に何らかの暴力が働いている」という冷徹な認識から出発しよう、と呼びかけているわけです。

## キリスト教（外婚）VSイスラム教（内婚）

**片山**　「外婚」と「内婚」の話に戻すと、キリスト教とイスラム教の衝突の背景には、「家族構造」の違いがある、つまり、前者が「外婚制」で後者が「内婚制」であることとも深く関係していそうですね。

**佐藤**　そう思います。イスラム教の核にあるのは、アラブの親族システムですが、もし外婚制だったら、世界宗教としてもっと広域に拡がっていたかもしれません。

**片山**　おそらく「内婚」に拘るのは、「外婚」だと安心できないからですね。いかなるルールも秩序もなく、略奪行為も頻繁に起こり得るような砂漠の荒野で、見知らぬ人と結婚するのは、一族が皆殺しにされてしまうリスクがあるかもしれない。それに対して、キリスト教のヨーロッパには、「外婚」でも安心できる仕組み（秩序）があったのでしょう。あるいは、そもそも寒冷地のヨーロッパでは、大家族で食べていく余裕もなく、「核家族」以上になりようがなかったのかもしれません。

**佐藤**　ユーラシア大陸の中心（中東）と周縁（ヨーロッパ）を対比して、トッドさんはこう述べています。

〈農業発生の中心地に近ければ近いほど、家族的・社会的形態が経験した時間（すなわち歴史）が長く、家族構造がより高度に複合的であり、逆にその中心地から遠ざかれば遠ざかるほど、流れた歴史の時間が短く、家族がより核家族的なのである〉（下巻、一〇頁）

最も古い形態（核家族）が周縁部に残存しているのは、古い方言が中心から遠いところに残るのと同じで、「周縁地域の保守性原則」（上巻、八七頁）に則っています。

## 「未開人」としての「西洋人」

**片山**　そこがこの本の核心である「歴史の反転モデル」に関わるところです。
〈「進化しているのは誰か？」「先進的なのは誰か？」という問いが、単純には解けないもの、それ自体として矛盾しているものとなる。中東はなるほど経済的には遅れているけれども、最も複合的な、最も「進化した」家族形態を持っている。内婚制共同体家族は、父親と既婚の息子たちを結びつけ、次にその息子たちの子供同士が結婚す

ることを推奨するわけだが、このシステムは五〇〇〇年もの推移の帰結なのである〉（上巻、五二頁）

〈西洋の科学技術的・経済的近代は、むしろ太古的な家族システムと符合する。ホモ・オキシデンタリス（西洋的人間）とは、その習俗においては、人類の古い共通基盤、原初の時代に地球上のあちらこちらで暮らしていた狩猟・採集民たちの共通基盤からさほど遠ざかっていない未開人なのである〉（上巻、五三頁）

この本を読めば読むほど、固定観念が破壊され、世界や歴史が違って見えてきます。

**佐藤**　「未開人」としての「西洋人」のなかでも、二重の意味で「最先端」を行っているのはアメリカ人です。トッドさんは、ヨーロッパ人の立場から、かなり過激（？）なことも述べています。

〈今やわれわれは以前よりも高度な知的武装に到達したので、次に述べる疑問によりよく挑戦できる。実際、アメリカなるものは事あるたびに、われわれヨーロッパ人にそれ自体として矛盾した二重の印象をもたらす。最も先進的だという意味で「モダン」を体現しているように見えるアメリカが、それでいて同時に「未開」だとも感じられるのは一体なぜなのか。われわれは前々から訝《いぶか》しく思ってきた。いつも心の中で、「彼ら（米国人）は明らかに先を行っている。そのくせ、およそまったくと言ってよいほど洗練されていない」と呟いている。だが、そう呟くとき、実はわれわれは知らずして、ごく単純なひとつの真実と紙一重のところにいるのだ。彼らは、ほとんどまったく洗練されていないからこそ、先を行っているのである〉（上巻、三五一頁）

## トッドの考える「人類の普遍性」――核家族と民主制

**片山**　集団ごとにさまざまに分岐していったのが人類の歴史であっても、「根底には人類共通の普遍性がある」という確信が、トッドさんの歴史観を支えています。一つが「核家族」、もう一つが「民主制」で、この二つは連関しています。というのも、「核家族」であれば、〈系族を通して権力を自動的に譲渡・継承していくことは不可能〉（下巻、一三頁）だからです。〈民主制が、さまざまな権威主義的な政治的構築物よりも前に存在していた〉（下巻、一一頁）のです。

**佐藤**　さらに、フィリピンの社会学者ラウル・セビリア・マングラパスの『民衆の意志――非西洋社会における原初的民主制を探る』という本を引いて、〈西洋の民主制に先行したいくつかの民主制〉（同前）を取り上げることで、民主制を「西洋の専売特許」とする考え方を排しています。

**片山**　ここで言う「原始民主制」の具体的な形態については、〈原始時代は、緊急時には統率者を選出できる多数の集会で構成されている世界だった〉（下巻、一二頁）〈原始民主制とは、その最も一般的な形態において、どういうものであろうか。一つの集団の成人男子メンバーが集会を開き、合議し、その集団に関わる決定をおこなうことができる、ということだ〉（下巻、一三頁）と述べています。

**佐藤**　逆に「核家族社会」ではなく「共同体家族社会」だと、どうなるか。一人一人が拒否権を持ってしまい、満場一致になるまで動けません。まさにチェチェンの部族会議のコンセンサス主義です。裏返すと、「外敵」の脅威がないとチェチェンはまとまれない。

**片山**　ウクライナのコサックも、満場一致主義です。だからファーガソンの「われわれ／彼ら」の弁証法が示すように、「団結」のために「外敵」が重要になる。たとえば、そこがイングランドのような核家族社会で、しかも島国であれば、「満場一致」でなく「代表制」で「多数決」で済む、ということなんでしょう。

**佐藤**　ヨーロッパに「代表制」が定着した理由について、こう述べています。

〈ヨーロッパでは中世末期になっても政治的代表制がいっこうに形骸化していなかった。それは、端的にいって、ユーラシア大陸の周縁部にあたるこのヨーロッパという地域が、歴史的発展の面でおそろしく立ち後れていたことの反映だったのである〉（下巻、一七頁）

つまり、ヨーロッパが「進んでいたから」ではなく「遅れていたから」だ、と。

## 最初の「福祉国家」イギリス

**佐藤**　「第9章　イギリスというグローバリゼーションの母体」は、「アングロサクソンがなぜ覇権を握ったか」というこの本の核心的な問いに答えようとする章です。

**片山**　〈国土が比較的コンパクトで、しかも島国なので、あの王国は、独特の単一性とまとまりの良さに恵まれている〉（上巻、二九一頁）という、イギリスの地理的な有利さに、まず注目する必要があります。

**佐藤**　島国として国土の「外枠」がまず明確にあって、国土の「内部」では人々の移動性がとても高かったことも、イングランドの特徴として指摘しています。一六世紀末から一七世紀のイングランドのある村では、〈生まれた村から出て結婚し、生活するのが普通〉で、〈世帯主の五〇%〜六〇%が、親が同じ村に住んでいない世帯主〉(上巻、三〇一頁)だった、と。

**片山**　それはまさに「核家族」だからです。しかも「外婚制」を遵守《じゅんしゅ》しようとすれば、生まれた村から出ていかざるを得なくなる。

〈厳格な外婚制の規則を遵守していたのであり、そうである以上、各人は自分の生まれた村から外へ出ないわけにはいかないのだった。イギリスの村落共同体の平均的人口規模は一七世紀には二〇〇人程度だったはずで、この条件では、人びとの移動性が高くなければ、近親者同士の婚姻が避けられない〉(上巻、三〇二頁)

**佐藤**　原初の狩猟採集民は、「外婚制」で「移動生活」を送っていましたが、イングランドの人々も、そうした「太古の人類の原始性」を色濃く残していた、ということです。

ただ、長男が同居して親の面倒をみる日本のような直系家族社会に対して、核家族社会では、子供が出て行った後に残された年老いた親がどう食べていくか、という問題が生じます。この問題には、次のように対処したそうです。

〈イギリスの地域共同体は、いち早く考案した社会税制でこの問題に対処したのだ。一五九八年と一六〇一年の救貧法が各教区に税金の徴収を要請し、地域農民の上層または中間層が教区の民生委員のような存在となり、これを地域ごとに管理した〉（上巻、二九九頁）

**片山**　有名な「救貧法」ですね。しかもそれは名ばかりのものではありませんでした。当時の資料で二〇の共同体を調べた結果として、一六六〇年から一七四〇年までで一一万件の給付が確認でき、〈人口の五％が週ごとに給付を受けて〉、〈その比率が都市部では八ないし九％に達し〉、〈六〇歳以上の人口に限ると四〇〜四五％にも達し〉、〈六〇歳以上についていえば、給付の平均水準は農業労働者の給料に相当していた〉（同前）と述べられています。驚くほどの手厚さです。つまり、〈絶対核家族と救貧法（略）とは機能的に一体化〉（上巻、三〇七頁）していました。

**佐藤**　「福祉国家」的な仕組みが、「個人主義的な核家族文化」を支えていた、ということです。この分野でもイギリスが一番乗りしたとして、こうも述べています。
〈今やわれわれは、学校の教科書で馴染みになっているもう一つの常套句、ビスマルクとドイツが社会保障を創設したという常套句を疑問に付さなければならない〉〈イギリスにおいてこそ、われわれはヨーロッパの最初の福祉国家を観察できる〉（上巻、三〇八頁）

**片山**　〈親族網が解体され、その代替となったのは国家であった。その国家は、ローカルなレベルでは、孤児たちや老人たちの面倒を見ることのできる農民集団によって体現されていた〉（上巻、三一二頁）。つまり、「親族システム」を「国家」が代替したからこそ、「イギリス的個人主義」が生まれたわけです。

## なぜイギリスで最初の産業革命が起きたのか

**片山**　また、そうした「核家族文化」が、「なぜイギリスで最初の産業革命が起きたのか」をも説明することになります。

〈特筆すべきは、今日と同じように一七八〇年頃のイギリスが、絶対核家族という人類学的基底に由来する、きわめてフレキシブルな社会構造に恵まれていたということだ。イギリスの家族は、世代間の分離を、若者が親元から離れることを要求する。地理的・社会的移動を促すのである。イギリスの農民たちは土地にこだわっていなかった。遺産相続の規則は、兄弟間にどんな平等原則も定めていなかった。家族内で、諸階級の間で、あるいは民衆世界の内部でさえも、機会の平等をア・プリオリに重視することのない文化は、上昇するにせよ、下降するにせよ、あらゆる社会的移動を助長する。そんな文化は、経済的・社会的構造のスピーディな変容にとっては理想的な人類学的フィールドだ。いずれにせよ、この文化のお蔭でイギリスは、一七八〇年から一八四〇年までの間に、農村の人びとを根こぎにしたといってよい未曾有の人口移動をやってのけたのである〉（上巻、二六一頁）

**佐藤**　「核家族文化」があったからこそ、「囲い込み」が容易だったということです。ところで一六世紀、一七世紀の第一次「囲い込み」は、「農地」を「牧羊地」に変えるためのものでしたが、当時のヨーロッパが寒冷化したこととも関係しています。気温が下がって、暖かい服が求められて、羊毛で儲かるようになったのです。

**片山**　気候要因も大きかったのですね。

**佐藤**　「農地」を「牧羊地」にすれば、小麦をつくれなくなりますが、おそらくフランスから購入できたはずです。つまり、「自給自足」型農業から、「食糧」は輸入しつつ、「貿易」で稼ぐ経済にシフトしたのです。

**片山**　「島国」でも、ヨーロッパ大陸と行き来できる程度の「近さ」にあったから、おそらく経済のシフトもできたのでしょう。「大英帝国の繁栄」の裏には、「寒さ」「島国」「貿易」という特殊条件の重なり合いがあった、ということになります。

**佐藤**　なかでも気温が低いイギリスは、小麦の生産性が低いので、牧羊に特化することで「比較優位」が成り立ちます。

**片山**　「いつまでも貧しいがゆえに貿易で豊かになる」のがイギリス流で、「大陸に近い島国」であることが、とても有利に働いていますね。

同じ島国でも、「ドーバー海峡」と「日本海」は違います。福岡と釜山《プサン》は約二〇〇キロ離れていますが、ドーバー海峡はわずか三四キロです。イギリスは、その「絶妙な立地」のおかげで成り立っている。もし大陸と地続きだったら、核家族が保たれていたかどうか、ひいては、イギリスの独立が保たれていたかどうかも分かりません。「集団的な陸軍気質」ではなく、「個人主義的な海軍気質」となったのも、地理的条件のおかげでしょう。

**佐藤**　そこは重要なポイントです。イギリスに対して、ヨーロッパ大陸では、「プロテスタンティズム」と「直系家族」から「陸軍中心の強力な軍事国家」が生まれています。

〈一七世紀以降、突如として、プロテスタンティズムのヨーロッパが集団行動においてずば抜けた能力を秘めていることが明らかになった。俄《が》然擡頭《ぜんたいとう》したのは、プロイセン、スウェーデン、あるいはヘッセン〔現在はドイツの連邦州の一つで、中心都市はフランクフルト〕といった軍事国家、また、オランダやイギリスのナショナリズムであった。当時のヨーロッパ大陸において、直系家族システムでプロテスタントの国々では、長男以外の男子たちが社会の正真正銘の軍事化の恰好《かっこう》の道具となった。スウェーデン、プロイセン、ヘッセンの兵士採用のレベルを、ルイ一四世治下のフランスのそれと較べてみよう。当時のフランスは好戦的ではあったが、一六八五年にナントの勅令が廃止されて以来、ふたたび全国的にカトリックの国となっていた。フランス大革命以前の旧体制の軍国化がピークに達していた一七一〇年頃でも、「太陽王」ルイ一四世の軍隊の兵士の数は全人口の一・五%であった。これに対し、プロイセン――この国の「軍国主義」は歴史の常套句《じょうとうく》になっている――におけるその割合は、一七四〇年で三・七%、一七六〇年では七・一%であった。フランスの二倍から五倍に相当する。スウェーデンがより早くから軍国化し、その度合いにおいてもプロイセンの上を行っていたことは、あまり知られていない。スウェーデンでは兵士人口比率が一七世紀末にすでに四%に達し、一七〇九年には七・七%にもなっていた。「ヨーロッパのハンマー」とも称されたスウェーデンは、人口が至極少ないにもかかわらず、一七世紀にはバルト海沿岸だけでなく、三〇年戦争〔一六一八年〜四八年〕のあいだ継続して、神聖ローマ帝国全域における大きな軍事勢力であった〉（上巻、二四〇―二四一頁）

**片山**　〈長男以外の男子たちが社会の正真正銘の軍事化の恰好の道具となった〉という指摘は、直系家族の日本にもそのまま当てはまります。

**佐藤**　ヨーロッパ大陸のプロテスタント諸国では、全人口に対する兵士の割合が高まったわけですが、同じプロテスタント国でも、イギリスは違っていました。

〈イギリスは、絶対核家族システムが存続してきた国で、気質的に自由主義的である。そのイギリスでは、（略）集団性の必要が軍事国家の形成によって吸収されることにはならなかった。イギリスの人口のうちの兵士の比率はごく僅かにとどまった。一六八八年の名誉革命の一〇年後にあたる一六九八年で〇・二％だったのが、一七一〇年には一％に達したが、それが一七八三年にはふたたび〇・三％にまで落ちていた。議会制君主政体は、ピューリタン革命の際のクロムウェルのニューモデル軍（一六四五年二月に議会条令で新編成された革命派の軍隊）による権力奪取をよく記憶していたため、自らの軍隊の強大化、少なくとも陸軍の強大化を周到に避けたのだ。海軍力のほうは内政のリスクにはならない〉（上巻、二四二頁）

**片山**　「強大な陸軍の存在はそれだけで政治の不安定要因になる」というのは、日本も該当しそうですが、イギリスがピューリタン革命から学んだ教訓なのですね。

**佐藤**　しかし、クロムウェルとピューリタン革命はイギリスに無視できないもの、すなわち「近代的な国民意識」をもたらしたとして、その重要性も指摘しています。

〈とはいえ、プロテスタンティズムはイギリスでも、新しい種類の集団統合を生み出した。近代的な国民意識がそれであって、そこに伴っていた古風な宗教的表現は外見上のものにすぎない。旧約聖書の読者であるカルヴァン派の民衆は誰でも、なんらかの時点で、自分たちこそ新たなイスラエルだ、神に選ばれた特別な民だ、というふうに思うのである。この感情が、ピューリタン革命（一六四二年～一六五一年）の間にクロムウェルのイギリスに侵入したのだが、現代の自由主義者たちは、このことの歴史的重要性を認めるのにいささか抵抗感を覚え、近代が始まったのはイギリスにとっても世界にとっても一六八八年だという考えに固執する。自由主義的な政治的・経済的母体のモデルの完成を近代のスタート地点として確定しようとするのならば、彼らは間違っていない。しかし、それでも、ピューリタン革命の間に、議会は国王〔チャールズ一世〕を斬首したし、村落共同体の権利として残っていたものを廃止したし、

交易を自国の船舶によるものに限定するような攻撃的な保護主義へと国を導きもしたのであった〉（上巻、二四二―二四三頁）

**片山**　イギリスも、ヨーロッパ大陸と同様に、過激なプロテスタンティズムの洗礼を受けているわけですね。

**佐藤**　その後のイングランドでは、クロムウェル的なものは、行き過ぎたものとして否定されますが、スコットランドではカルヴァン派（長老派）が主流派勢力となり、その流れが後にアメリカに根づくことになります。

**片山**　ヨーロッパ大陸のプロテスタントに再び目を向けると、トッドさんは、「ルター派の分布図」と「一九三二年のナチ党への投票分布図」はきわめて似ている、と指摘しています。

**佐藤**　「ナチズム」と「ルター派」につながりがある、というのは、トッドさんの言う通りです。『第三帝国と宗教――ヒトラーを支持した神学者たち』（ロバート・P・エリクセン著、風行社）という本がありますが、ゲルハルト・キッテル、パウル・アルトハウス、エマヌエル・ヒルシュといったルター派の優れた神学者たちがナチスに協力していて、ナチスの理論形成に貢献しています。

**片山**　プロテスタント国の「強力な民族意識」を「通貨」の問題に結び付けて論じているところも面白いですね。

〈注目すべきは、ロシアを恐れるがゆえにユーロを選んだフィンランド、エストニア、ラトビアの三カ国を例外として、全面的にプロテスタントである国々がユーロ圏の外にとどまったことである。ノルウェーは、そもそもＥＵに加盟していない。ＥＵ加盟国であっても、ルター派プロテスタントのデンマークとスウェーデンは、カルヴァン派の伝統に連なるイギリスと同様、それぞれに自国通貨を保守した。ゾンビ・プロテスタンティズムと呼び得るもののナショナルな次元は依然として活性化状態にあり、たいていの場合、自国の通貨上の独立性を保全し、そしてそのことで端的に、主権国家としての独立を保全する〉（下巻、二一〇頁）

**佐藤**　ではドイツはどうかと言えば、東西統一の前に〈あの国が単一通貨制度への参加を決めた当時、カトリックの地域を地盤とする右派勢力に支配されていた〉（下巻、二一〇―二一一頁）ということになります。

## 英米の法治主義

**片山**　アングロサクソンが世界に影響を与えたものとしては、「英米の法治主義」も挙げなければなりませんが、これも農村社会だった頃のイギリスに源泉があったと、トッドさんは指摘しています。

〈マイケル・ポスタン（一八九九〜一九八一）は（略）、歴史学の著名な先駆者の一人であるフレデリック・ウィリアム・メイトランド（一八五〇〜一九〇六）〔イギリスの法制史学者〕の説を踏襲し、イギリスの荘園の場合は「領地、それは国家である」（《the estate is the state》）と示唆した。領地のそういう性格を背景として、いくつかの荘園は驚異的な量の荘園裁判所記録文書（manorial court rolls）を残した。（略）中世の農民生活を法的に制御していた荘園裁判所はおそらく、イギリスと、さらにそれを超えて英米世界を特徴づける法治主義の独自の源泉であろう〉（上巻、三一一頁）

**佐藤**　そもそもの法の成り立ちが中央集権的ではないから、英米は「民事法優位」の考え方になるわけです。「刑事法」も「民事法」のアナロジーでできている。

**片山**　「民事法優位」というのは、平たく言えば、「客観的な正義」を考えても仕方がない。「議論して声の大きい方が勝ち」という感じでしょうか。

**佐藤**　そう思います。要するに「訴訟手続き」の問題です。訴訟手続きですぐに起訴して、後は裁判で争うのが英米流。だから有罪率が非常に低くなります。その正反対がフランスで、完全な「予審制度」ですから、起訴されたらほぼ有罪になる。

**片山**　そこは日本も同じですね。

**佐藤**　戦前の「旧刑事訴訟法」はドイツ系で、戦後の「新刑事訴訟法」は英米系で、日本の法体系は、二つの要素がミックスされたものですが、起訴された刑事裁判での有罪率は九九・九％で、英米よりも大陸系の「予審制度」に近い。ただ、フランスと比較して問題なのは、実質的に「検察官」が「予審判事」の役割を果たしてしまっていることです。

**片山**　「英米の法治主義」の方も、今日ではかなり問題を抱えているようです。本来、「社会の効率性・生産性」を高めるために存在していたはずなのに、もはや「社会の効率性・生産性」を阻害する要因でしかないと、トッドさんは指摘しています。

〈米国ではとにかく裁判が多い。企業活動でも法的手続きが多い。そこで弁護士が手にする膨大な報酬もＧＤＰに含まれます。それに対し、正直な方が多い日本（笑）では、訴訟も弁護士も少ない。その分、日本のＧＤＰは米国より少なく計上されることになります。しかし、一体、どちらの社会が「生産的」と言えるのか〉（『老人支配国家　日本の危機』文春新書）

**佐藤**　「米国の裁判はカネ次第」ということについては、ロシア系米国人の科学者ドミトリー・オルロフの言葉（『崩壊を発明し直す——ソ連の経験と米国の予想』）も引いています。

〈米国の司法システムは、いい学校に行った者、大企業、金持ちを優遇し、充分な教育を受けなかった者、無一文の者、貧乏人を冷遇する。そこでは、司法対策としてお金を適切に用いさえすれば、ほとんどどんな法律上の問題も避けることができるようである一方、国選弁護人に甘んじなければならないような者が法律上のトラブルに巻き込まれようものなら、それがどんな些細なことであっても、罰金や刑務所行きにつながりかねない。基本的に、ある程度以上こみ入った裁判システムはことごとく本質的に不公正であり、その極度の複雑性をコントロールするのに足るだけの資金を有する者に有利なのである。明らかに米国ではそのようになっているので、法律関連のもめ事では、お金を持つ者は、それを持たない者に対して、告訴するぞと単に脅しをかけるだけで勝利を手にすることができる〉（下巻、九五頁）

**片山**　そうなるのは、端的に言って、アメリカは「広い」からです。金持ちが勝っても、負けた人もどこか別の場所で生きていける。アメリカはイギリス由来の国ですが、そこがやはりイギリスと違うところです。トッドさんはこう言っています。

〈米国人は州から州へと、ヨーロッパでは考えられないほど速いリズムで移動する。あれほどまでに彼らに特徴的な地理的移動性は、太古には狩猟採集民に典型的だった要素だ〉（上巻、三四四頁）

アメリカが「浪費経済」なのも、「広い」からです。

〈自然資源への依存性が大きいことは、米国経済の元々からの特徴である。大地を、原油を、水と森を浪費する傾向は、原初の人間を特徴づけていた捕食生活のモデルを想起させる。粘り強い農地改良や、資源刷新への配慮はその後の革新であって、それ

は歴史の中で、系族の存続を可能にするタイプの家族型の出現と連動していたのである〉（同前）

## ロマン主義が分からないアメリカ——米欧の違い

**佐藤**　そうした「アメリカ人の原始性」を別の言い方で表現すれば、「一八世紀の感性で二一世紀まで生きている国だ」と言えるでしょう。第二次世界大戦中にプリンストン大学で教えていたヨゼフ・ルクル・フロマートカというチェコの神学者が自伝のなかで、「ロマン主義を理解できないのがアメリカ人だ」と言っています。一九世紀に「啓蒙主義」に対する「ロマン主義的な反動」を経験したのがヨーロッパですが、アメリカには、そのプロセスがすっぽりと抜け落ちている。だから「これはどんな得になるの？」「これはいくらの金になるの？」といった剝《む》き出しの実用主義になってしまう。

**片山**　「抑圧」や「制約」があってこそ生まれるのがロマン主義ですが、アメリカにはそもそも「抑圧」や「制約」がない。

**佐藤**　テオドール・アドルノとマックス・ホルクハイマーの『啓蒙の弁証法』も、「ナチズム批判」というより「アメリカ批判」としてのリアリティがあります。少なくとも、ドイツからアメリカに渡ったからこそ書けた本でしょう。

**片山**　「啓蒙の究極的な形態」をアメリカで見てしまったわけですね。

**佐藤**　「文化産業」がキーワードで、ヨーロッパでは絶対に結びつかない「文化」と「産業」が、アメリカでは結びついてしまう。

## 「隣国のある欧州」と「隣国のない米国」

**片山**　ヨーロッパとアメリカのもう一つの違いは、「脅威となる隣国」の有無です。トッドさんは、〈ナショナリズムとは、「他者」――大抵の場合、自分たちにとって特に脅威だと感じられる隣国の人民――に対抗する社会的集団の確立にほかならない〉（下巻、一二五頁）とした上で、こう述べています。

〈国家が、各ネイションの内部で個々人の同等性を確定すると同時に、他方では、集団の自己定義に必要な「他者」を指定し、国境の外に位置づけた。そうした「他者」

が、イギリス人、ドイツ人、フランス人、ロシア人等々であった。これに対してアメリカでは、国家がそのような能力を欠いた。その結果、水平性が存続している。ネイションも、脅威となる近隣のネイションによって定義されることがない。とはいえ、「われわれ」が「われわれ」として存在するためには、「他者」がいなければならない。したがって、内部の者が「他者」となるだろう。インディアンたちは除去されてしまった。してみると、「他者」は黒人だということになる〉（上巻、三四七頁）

ヨーロッパでは、各国が互いに隣国を「他者」と指定し合って「自己」を確立したのに対し、アメリカの場合は「（脅威となる）隣国」が存在しないので、「黒人」がその代替をさせられてしまった、というわけです。

**佐藤**　アメリカが「（脅威となる）隣国をもたない国家」であることは、わざわざ強調する必要もないことのようでいて、実は「内政（黒人差別）」だけでなく、「対外政策」においても大きな意味をもっています。トッドさんは、先の『フィガロ』紙の記事で、ジョン・ミアシャイマーを批判する文脈で、こう述べています。

〈ミアシャイマーは、善良なアメリカ人として、自国を過大評価しているところがあります。ロシアにとって、ウクライナの戦争が「死活問題」である一方で、アメリカにとっては、基本的には、単なる「パワーゲーム」の一つにすぎない、と彼は見ています。ベトナム戦争、イラク戦争、アフガニスタン戦争の後に、戦争での失敗がまた一つ加わったところで大した問題ではない……。アメリカの地政学的な基本公理は、次のようなものです。「われわれは自分の望み通りに何でもできる。大西洋と太平洋によって隔絶されていることで、安全だからだ。誰かがわれわれの領土に侵攻してくることは絶対にない」〉（本書第5章）

**片山**　『第三次世界大戦はもう始まっている』でも同じことを指摘しています。〈アフガニスタン、イラク、シリア、ウクライナと、アメリカは常に戦争や軍事介入を繰り返してきました。こうなってしまったのは、戦争で間違いを犯しても、大きな島国のような存在で、脅威となる隣国もなく、世界一の軍事大国でもあるアメリカ自身は侵攻されるリスクがないからです。どんな失敗をしても、生き延びられてしまうのです。だから間違いを繰り返すのです〉

## ウクライナ戦争の今後

**佐藤**　ウクライナ戦争が始まって一年が経ちましたが、まさにトッドさんの言っていた通り（『第三次世界大戦はもう始まっている』）に、事態は進んでいます。

**片山**　最初の発言は、『文藝春秋』二〇二二年五月号に掲載されたもので、戦争開始からわずか一カ月後（二〇二二年三月二三日）に収録されたものですが、まさに「予言」通りです。

**佐藤**　アメリカの真の狙いは、「ウクライナの勝利」ではなく「ウクライナ人を用いてロシアを弱体化させること」ですが、トッドさんの言う通り、最後は「生産力」の勝負となるなかで、ロシア経済よりも西側経済の脆弱《ぜいじゃく》さが露呈しつつあります。

**片山**　そもそも人口が一五％も大量流出していたと見られるウクライナは、戦争前から「破綻国家」でした。現在、ウクライナに対して、多額の軍事援助や資金援助が行なわれていますが、「汚職天国」で資金や物資が末端まで届くのか。先日も、多くの政府高官や州知事が汚職疑惑で辞任しています。

**佐藤**　ウクライナの政治家や高官の腐敗は、手がつけられない酷さです。アフリカの最腐敗国と似たようなもので、その点、戦争前から、国家としての体をなしていませんでした。

ウクライナ戦争のヤマ場は、今年（二〇二三年）、二回あると私は見ています。

一回目は、四～五月です。この頃になるとウクライナの食糧備蓄が尽きる恐れがあります。二〇二二年秋に穀物の収穫が十分にできませんでした。ロシアが変電所などインフラ施設を執拗《しつよう》に攻撃したことも大きく影響しています。ちなみにウクライナの鉄道輸送は、ほぼ一〇〇%電化されていて、ディーゼル車がない。ですから電気が止まると、鉄道が動かず、仮に収穫できても腐ってしまう。いずれにせよ、西側連合が必要なだけの量の食糧を迅速に供給しないと、ウクライナは継戦能力を失います。

二回目は、一一～一二月です。この冬、ドイツは天然ガスを十分に備蓄できたので、冬の寒さを乗り越えられましたが、ロシアからの天然ガス供給が途絶えたので、次の冬の備蓄には不安があります。この問題が解決されないと、ヨーロッパはロシアに強硬姿勢を取れなくなる可能性があります。

**片山**　ロシアとヨーロッパ（ドイツ）を分断し、ヨーロッパ（ドイツ）経済を破壊することがアメリカの目的で、アメリカはロシアだけでなく、実はドイツに戦争を仕掛けている、とトッドさんは指摘しています。ドイツから戦車「レオパルト2」をウクライナへ供与させることに、アメリカがあれほど拘ったのも、「純粋な軍事目的」というより、「独露関係を修復不可能なほどに引き裂くため」ではないかと思えてきます。

**佐藤**　ウクライナの平原にドイツ製戦車が姿を現わせば、まさに第二次世界大戦での「独ソ戦」の再演です。少なくとも、プーチンやロシアの人々はそう感じるでしょう。

この戦争は、もはや「ロシアとウクライナの戦争」ではありません。トッドさんの言う通り、実質的に「第三次世界大戦」と化しており、数年、あるいは一〇年にも及ぶ長期戦になってしまう恐れがあります。

# 4　水戸で世界と日本を考える

E・トッド

日本に恋してしまった

二〇二三年一一月六日、水戸にて編集部がインタビュー

## 「国民意識」にとって象徴的な場所――水戸

水戸《みと》藩校・弘道館《こうどうかん》を訪れて、日本の伝統的な木造建築の美しさに心を奪われました。エレガントで、軽みがあって、趣があって……。木と畳が織りなす静寂な空間は、美しいけれども押しつけがましくなく、息詰まる感じがしない。日本の優雅さの現れだと感じました。

ここ水戸は、日本の「国民意識」にとって、とても重要な場所、象徴的な場所だと聞きました。今日、グローバリゼーションによって、どの国でも中心となる文化が危機に瀕し、イギリス人にしろ、フランス人にしろ、ドイツ人にしろ、ロシア人にしろ、世界中の誰もが、「我々は何者であるのか？」を考える必要に迫られています。こういう時に、水戸という特別な場所を訪れることができて、うれしく思います。

今日、各国が直面しているのは、個人主義が行き過ぎた結果、「集団としての意識」が衰退し、問題を解決するために「共に行動すること（集団的・連帯的行動）」ができなくなっている、という問題です。

人々が共に行動するには、何らかの「基盤」が必要です。まず「宗教」がその役割を果たしました。その後、宗教的信仰が失われていくなかで、「国民意識」が「宗教」を代替するようになりました。しかし、今日、そうした「国民意識」すら失われつつあります。

「国民意識」を再生することは、直《ただ》ちに「排外主義」を意味するわけではありません。どの国も必要としていることで、合理的な振る舞いです。それぞれの国が自国の問題に取り組むには、「集団としての自己」を再発見しなければならないところに来ているからです。

もちろん、いったん個人がこれだけアトム化した後に、「国民意識」（共に行動するための基盤）を再発見するのは、容易ではありません。しかし、不可能ではありません。その際、おそらく助けになるのは、それぞれの国民の歴史のなかにある「詩的な部分」「ポエティックな側面」です。それはまさに水戸という場所が体現しているものではないでしょうか。

## 「世界中で歴史意識が消失している」

　そこで思い出すのは、数年前、パリの書店で、突然、ある思いに囚われた時のことです。モンテーニュ、モリエール、ラ・フォンテーヌといった学校で習うようなフランスの名だたる作家たちの本を前にして、「こうした作品を生み出した文化は、今後も消滅することは決してないのだろう」と。それは、「消滅してはいけない」という思いと「消滅しようがない」という思い、つまり希望と絶望の両方が入り混じった感慨でした。

「世界中で歴史意識が消失している」と、友人の哲学者マルセル・ゴーシェが危機感を込めて言っていました。まったくその通りだと思います。

　人々は「個人の現在」にだけ関心を抱くようになっています。しかし、社会生活は「現在」だけで成り立っているのではありません。「過去」を忘却すれば、「社会としての一体感」も失われます。別に目新しいことではなく、また大げさな言い方かもしれませんが、「未来」を切り拓《ひら》くには、やはり「過去」を知らなければなりません。「現在」は「過去」と「未来」の間にあり、「個人」も何らかの形で「集団」に組み込まれて存在しています。そういう自覚、つまり「歴史意識」を取り戻すことが、いま世界中で求められているのだと、この水戸で改めて思いました。

## マルチ・パトリオティズム

水戸の藩校・弘道館を訪問して、まずその建築の美しさに心を動かされました。そして、その向こう側にあるもの、つまり、かつてここで学んだ人々に、何かを強く希求し、結果はともあれ、何かを実現しようとして行動した人々に思いを馳せました。

私は、ある「病い」に罹《かか》っているのかもしれません。「マルチ・パトリオティズム（マルチ愛国主義）」という「病い」です（笑）。

世界の国や地域を研究するなかで、さまざまな国に愛着を覚えるようになりました。

まず私は、フランス人として自国を愛しています。

ただしイギリスも大好きです。これは、私の祖先がイギリス由来であったり（ちなみに「トッド［Todd］」は中世英語で「キツネ」を意味しています）、家族がイギリスに住んでいたり、私自身がケンブリッジ大学で学んだことも影響しています。とくに経験主義というイギリスの知的伝統に敬意と愛着を覚えています。

イタリアも大好きです。美しい国で、とくにイタリア芸術は圧倒的に素晴らしい。長年研究してきたスウェーデンの歴史にも深い思い入れがあります。一九歳の時、モビレットという原付バイクでスウェーデン国内を旅行したのも、忘れがたい思い出です。この国の文化や街の佇《たたず》まいは、シンプルさ、軽み、極端に走らない節度を体現していて、傲慢なところがありません。我を忘れて怒りをまき散らすようなことがないのが、スウェーデンや北欧諸国の国柄です（ただし残念なことに、最近は、反露感情で我を忘れているようです）。

ハンガリーも大好きで、ハンガリーの愛国主義に心惹かれます。

そして日本も愛しています。

ロシアについても同じことを言いたいところなのですが、若干ためらいを感じます。私は偉大なロシア文化の崇拝者で、トルストイやツルゲーネフなどを愛読していますが、ロシア史のなかに見えるやや野蛮な――ロシアの権威主義的な家族の暴力性に由来する――側面には共感できません。

実はまったく好きではない国もあるのですが、ここでは口にしません（笑）。つまり、「マルチ（いくつも）」であって「すべて」ではないのですが、自分が愛着を覚えるのは、何らかのきっかけで深く知ることができた国に対してです。

## 日本に恋してしまった

最近では、朝、メールをチェックすると、三分の一か四分の一は日本人からのものです。単にフランス人からもらうメールが少ないだけなのかもしれませんが（笑）。

大西洋に面したユーラシアの端にあるブルターニュの別荘に籠っていたコロナ禍――まだワクチンもなく、高齢なので隔離生活をしました――では、とくに不思議な時間を過ごしました。パリから離れ、人と会うこともないなかで、メールやオンラインで、ユーラシア大陸の逆側の端にある日本の方々と活発にやりとりをしたのです。どこか「シュール（非現実的）」な時空間でした。

しかし、私が日本に深く関心を抱くようになったのは、かなり遅い時期からです。何よりもフランスにとって「日本はあまりに遠し」ですから。

最初に日本と接触したのは、文学作品を通じてです。川端康成や谷崎潤一郎を仏訳で読み、とくに谷崎を愛読しました。弘道館の畳の上では、まさに谷崎の『陰翳礼讃』の美学を身をもって感じました。

日本に注目したのは、まずは「純粋な研究対象」としてです。ヨーロッパでは、日本は「完全に特殊な国だ」と言われていましたが、私にはそうは思えませんでした。家族構造で見ると、ヨーロッパにも同じ「直系家族」が存在するからです。

一九九二年に国際交流基金の招待を受けて、初めて日本に来た時、一番の目的は、「日本もヨーロッパと変わらない」ことを自分の眼で確かめることでした。

初めて来て、何より驚いたのは、街や物や交通機関など、すべてがモダンであること。東京もあれだけの空襲を受けて完膚《かんぷ》なきまでに破壊されたはずなのに、すっかりモダンな大都会となっていることに目を瞠《みは》りました。

しかし、それ以上に深く印象に残ったのは、日本の人々の立ち振る舞いです。建物や事物のエレガントさ以上に、人々のエレガントさに心を奪われて、日本に恋してしまったのです。

## 「日本人は火星人みたい」という母に育てられた

実は、私の母は、強烈な反日感情の持ち主でした。ユダヤ系の母は迫害を逃れて、一〇代で大西洋を渡り、アメリカで保護されて学生生活を送りました。その時、周りの男性の学友たちが、次々に対日戦争に兵士として駆り出されていきました。そんな環境のなかで暮らしたので、母は、日本に対して悪い感情しか持てなかったのです。

しかし、ユダヤ人として人種差別を受けてきた以上、自らが「レイシスト（人種差別主義者）」になるわけにはいきません。そこで「日本人は我々とはまったく違う」ということを「日本人は火星人みたいなものだ」と表現していました（笑）。私は母にそう言われながら育ってきたのです。

## 「家庭的環境」とは無関係に発見した日本

こう振り返ってみると、日本の読者や友人と今のような関係を築けたのは、奇跡のように思います。

私がイギリスやイタリア（幼い頃、親に連れられてイタリアに行ったことがあり、それ以来ずっと「イタリアは素晴らしい」という思いを抱いてきました）やスウェーデンやハンガリー（家系的に東欧ユダヤ知識人との間につながりや親近感があります）に愛着を覚えるに至ったのは、「家庭的環境」に大きく影響されてのこと、あるいは半ば決定づけられてのことです。

しかし、私にとっての日本は、そうした「家庭的環境」とは無関係に自分自身で見出したものです。ある意味で、日本が母の呪縛から私を解放してくれたと言えるかもしれません――もちろん、母に対して愛情をもっていますが――。

つまり、日本との関係は、「私個人のヒストリー」なのです。「純粋な研究対象」だった日本が、かけがえのない「感情的な対象」となったのです。

初めて来て以来、三〇年間で二〇回――回数が多すぎて正確に数えるのはやめました――は日本に来ています。今日も、東京から水戸に向かう列車の車窓から外を眺めていて、そこに流れる風景だけでなく、かつて何度も日本に来た自分自身を、「あの時はこうだった」「この時はこうだった」と、その度ごとの自分自身を風景に重ね合わせて思い出していました。そして、まだ一〇日間の滞在の半ばであるにもかかわらず、「まもなくこの日本を立ち去らなければならないのだ」という思いに囚われ、悲しくなってしまいました。

### 時間的規律

日本との関係で、もう一つ急いで付け加えたいのは、「時間的規律」についてです。フランス人の多くは時間にルーズですが、私は違います。やや病的なまでに時間に正確な人間で、普段、周りからは「変な奴」だと思われています（笑）。そこが日本では、皆が私と同じです。誰もが時間を守るので、フランスではいつもイライラして、居心地が悪いのに、日本では穏やかな気持ちでいられます。実際、フランスにいる時よりも、人柄が柔らかくなり、優しい人間になっているような気がします（笑）。

ただし、これも急いで付け加えると、日本人と私の共通点はこれだけです。もし日本の方が、私の仕事部屋の無秩序さ、乱雑さを目にしたら、おそらく気絶してしまうでしょう（笑）。私が唯一「秩序」を保つことができるのは、著作の中だけで、それ以外の私の生活は「無秩序さ」に溢《あふ》れています。つまり、日本の方は、混沌《こんとん》とした私という人間のごく一面、「著作」と「時間的規律」という日本の方にも受け入れられやすいところだけを見ていることになります（笑）。

## 歴史は肉眼では見えない

実際にその国を訪れることで、さまざまな発見がありますが、私の基本的な研究方法は、フィールドワークではありません。私は本の虫――フランス語には「図書館のねずみ」という表現があります――で、さまざまな本を読み、さまざまな統計データを確認し、とくに特定のテーマについてのさまざまな専門論文を渉猟《しょうりょう》し、そこで得たものをある観点から統合し、知に結びつけるのが私の仕事です。

ソ連崩壊を予測したデビュー作『最後の転落――ソ連崩壊のシナリオ』（藤原書店）も、このような手法で執筆したものです。

私はロシア語はできません。ロシアに行ったこともありません。

当時の西側諸国では、ソ連体制への批判はあっても、体制自体は盤石《ばんじゃく》なものと思われていました。とくにフランスでは、「全体主義に順応した『ソビエト的人間』が生まれているのでソ連崩壊はない」という議論がありました。しかし、ロシアでも、識字率の上昇の後には出生率が下がっていました。つまり、他国と同じ現象が確認できるわけで、ロシア人も完全に特殊な存在ではなく、その点は「同じ人類」だということになります。そうであれば、人口動態から歴史の動きを捉えられるはずです。

すると、誰もが閲覧できる国連統計において、ソ連の乳幼児死亡率が一九七一年から一九七四年まで急上昇し、一九七五年に至っては数値が公表されていませんでした。私は「ソ連内部で何かが起きている」と確信しました。そして「今後、一〇年、二〇年、もしくは三〇年以内にソ連は崩壊する」と、一九七六年の時点で主張したのです。

「社会」は、肉眼で見ただけで「見える」ものではありません。街を散策することで、その「社会」を見ることができるとは私は思いません。とくに「歴史的に動いている社会」は、肉眼では見えません。敢えて言えば、「歴史的現実は目に見えない」というのが、私の歴史家としての確信です。

当時、ロシア語ができ、ロシアを何度も訪れたロシア研究者、ソ連研究者はたくさんいました。しかし、私が発見したことに彼らは何も気づかずにいたのです。むしろ研究対象に身体的に近づかないことが、「思わぬ発見」をするための条件ではないかとすら思います。近すぎると、中に入りすぎると、見えなくなるものがあるのです。

### 東北訪問で発見したこと

もちろん、現地を訪れて初めて分かることもあります。

東日本大震災の後しばらくして、友人のジャーナリスト三神万里子さんと、青森から福島まで、東北の各地を訪れたことがあります。研究目的ではなく、何よりも被災した人々に対して思いを寄せるための旅でしたが、貴重な発見もありました。とくに印象に残っているのは、南相馬で漁師さんや床屋さんとやりとりした時のことです。そこで直ちに見て取ったのは、社会の上流階層よりも庶民層の方が、夫婦関係、男女関係がより対等だということです。これは、おおよそ世界のどこでも共通することです。

また一九七五年に旅行でハンガリーを訪れて、現地で同年代の若者と議論したことで、「ソ連は崩壊する」という確信を深めました。『最後の転落』を書いた時には、この経験が助けになりました。

とはいえ、繰り返しますが、私の体系的な研究方法は、現地を訪れること、すなわちフィールドワークではありません。

## 日本から見た地政学

ただ日本に何度も来ることによって、私の研究方法のなかで大きく変化したことが一つあります。地政学に関することです。東京で「中国をどう見ているか」「ロシアはどうか」「アメリカをどう思うか」といったジャーナリストの質問に答えていくうちに、「世界の動きを日本から見る」ことがおのずと習慣化したのです。普段は、フランス、あるいはヨーロッパの立場から眺めているわけですが、日本からの視点も自分のものにできたことで、私の地政学的視野は豊かなものになったと感じています。

## 「自伝」としてのライフワーク

日本語訳が出たばかりの『我々はどこから来て、今どこにいるのか？』は、私にとって四〇年以上にわたる研究の集大成で、「ライフワーク」であり、ある種の「自伝」でもあります。本文のあとがきの日付は、二〇一七年五月一六日で、私の六六歳の誕生日。長年勤めたフランス人口学研究所（ＩＮＥＤ）を退職した日でもあります。

この本には、イギリスの歴史を詳細に論じた章（「第9章　イギリスというグローバリゼーションの母体」）がありますが、この章は、ケンブリッジ大学で英国史について師匠や先達から私が学んだことの「総括」の意味もあります。

ユダヤ教の歴史を扱った章（「第4章　ユダヤ教と初期キリスト教――家族と識字化」）もあります。私の曾祖父母はフランス革命で自由になったユダヤ人の子孫です。ブルターニュの別荘にユダヤ人の歴史に関する膨大な本を集めていて、いつかユダヤ人の歴史について書きたいと、ずっと思っていました。

こうした意味では、「私はどこから来て、今どこにいるのか？」という本でもあるのです。

## 「共時的分析」と「通時的分析」の総合

より学問的に言えば、この本は、私の研究の二つの要素を総合した集大成です。一つは、世界各地に多様な家族構造があり、それぞれが特定の政治イデオロギーに対応している、という「共時的分析」です。もう一つは、それぞれの家族構造がどのような変遷を辿《たど》ったか、という「通時的分析」です。

この二つを総合して、世界全体を対象としながら、ホモ・サピエンスの誕生から今日までを通史として鳥瞰《ちょうかん》したのが、この本です。

仏語版刊行からは五年が経っていたので、今回、日本に来る前に読み返してみると、自分に甘いことを言うようで恐縮ですが、我ながら「まったく古びていない！　アクチュアリティを失っていない！」と思ってしまいました（笑）。ただそれも、方法論的に理由があって、仏歴史学のアナール派的な知的伝統に則って、表層の事件に目を奪われるのではなく、社会の深層でゆっくりと動いている「長期持続（longue durée）」に着目する歴史研究だからだと思います。

「我々はどこから来たのか？」を知ることで初めて見えてくる「現在」があります。

たとえば、日本人やフランス人から見て、アメリカ人は最もモダンであると同時に、どこか野蛮で、繊細でないように感じられます。この本では、「太古のホモ・サピエンスの特性」と結びつけることで、単なる印象論に留まらずに、そうした直観の正しさをうまく論証できたと自負しています。「今なぜそうなっているのか？」は、「長期持続」の視点に立つことで、すなわちホモ・サピエンスの誕生から今日のアメリカまでを視野に入れることで、初めて解明できるのです。

### いま必要なのは「何もしないこと」

現在は、日本だけでなく、どの国も方向性を見失い、どの国の人々も将来に不安を感じています。フランスについては、あまりに多くの問題を抱えているので一つ一つ数え上げることは控えます。イギリスに至っては、パニックに陥っていると言えるでしょう。ドイツも、アメリカが本気で自分たちを潰《つぶ》しにかかっていると恐れを抱いています。そのアメリカにしても、死亡率が上昇し、平均寿命も低下し、社会が不安定化しています。

西洋全体が大きな危機に直面しています。対露制裁は、ドル基軸体制、とくにＳＷＩＦＴなどの国際金融決済システムから排除することで、ロシアの息の根を止めるためのものでした。ところが、予想に反してロシア経済は、驚くべき耐力を見せました。もしロシアがこのまま耐え抜けば、それ自体がドル基軸体制にとってダメージとなります。そしてロシア、中国、インドが中心となり、さらにサウジアラビアなども加わって、対露制裁に参加していない世界の大半の国々を巻き込んで、国際的な経済・金融システムが再編されれば、ドル基軸体制は完全に崩壊することになります。

ここで大事なのは、みずからに「考える時間」を与えることです。そして「考える時間」を得るには、何もしないこと、いったん立ち止まることが必要です。いま最も避けるべきは、迂《う》闊《かつ》に戦争や紛争にコミットすることです。流動的な状況で、見通しが立たないのであればこそ、何とか堪《こら》えて、立ち止まって、「我々はどこから来て、今どこにいるのか？」を冷静に考えるのです。

日本では「中国の脅威」が叫ばれ、どこでも同じように「戦争の再来」が言われています。各国とも、よく考えずに軽率な行動に走ってしまう恐れが高まっているのです。ここで最悪なのは、「混迷する現状」を打開する「解決策」として、戦争や紛争にコミットすることです。私が恐れているのは、無意識のうちに、「戦争」が、方向性を見失った人々の人生に「意味」を与えかねないことです。

とにかく「何もしないこと」。「歴史が加速している」としきりに言われていますが、これをナイーブに信じてはいけません。とくに米国からこういう声が聞こえてくるわけですが、これに抵抗しなければいけません。

## 「平和」と「安全」と「考える時間」を確保するための「核武装」

日本について言えば、「少子化」が「日本の最大の危機」です。これを解決するには、出生率を上げるべく女性のステータスを高めること、「キャリアか出産か」の二者択一を迫られている女性の状況を改善することが必要です。同時に、適切に管理調整しながら一定規模の移民を受け入れて、労働力を確保する必要もあります。

もう一つ日本に必要なのは、「中国は決して覇権国にはならない」と認識することです。私だけでなく、すべての人口学者がそう見ています。急激な少子高齢化によって、今後一〇年間で、労働人口が大幅に失われる見込みだからです。

とはいえ、私は慎重な人間です。「中国は強大化している」というプロパガンダを鵜《う》呑《の》みにしてはいけませんが、万が一の事態にも備えるとすれば、次のように提案したいと思います。

まず「安全」を確保しなければ、「考える時間」を確保できません。そのために「日本の核武装」を改めて提案します。

現在の日本は、「中国の軍事力が強大化している」という見方にもとづいて、「通常兵力」を増強しようとしています。しかし、「核武装」はせずに「通常兵力」だけを増強すれば、「緊張」をさらに高めるだけです。こうした軍拡競争は無意味でしょう。「核武装」こそ、「軍拡競争」から身を引くための手段、「平和」と「安全」と「考える時間」を確保するための手段なのです。さらには、米国の無思慮な行動によって「必要のない戦争」に巻き込まれることを防ぐ手段、対米依存から脱却して、「独立国家としての自律性」を確保するための手段ともなるのです。

（通訳・堀茂樹）

# 5　第三次世界大戦が始まった

E・トッド

## 弱体化する米国が同盟国への支配を強めている

原　題　La Troisième Guerre mondiale a commencé
聞き手　アレクサンドル・デヴェッキオ（Alexandre Devecchio）
初　出　Le Figaro 二〇二三年一月一二日

――ロシアとウクライナの軍事的対立を超えて、この戦争は、イデオロギー的、文化的側面も有しており、「自由主義的な西洋」と「保守的で権威主義的な非西洋」の対立という様相を呈していると、人類学者は主張する。彼によれば、最も孤立しているのは、一般にそう思われている側ではない。

エマニュエル・トッドは、人類学者、歴史家、エッセイスト、未来予測学者であり、多くの著作がある。『最後の転落』『経済幻想』『帝国以後』など、そのうちのいくつかは、いまや社会科学の古典となっている。最新刊『第三次世界大戦はもう始まっている』（文春新書）は、二〇二二年に日本で出版され、一〇万部に達している。

ある人にとっては「お騒がせでスキャンダラスな思想家」、ある人にとっては「先見性のある知識人」、彼自身の言葉を借りれば「反逆的な破壊者」であるエマニュエル・トッドは、人々の関心を掻き立てずにはいない。一九七六年の時点でソ連崩壊を予言した『最後の転落』の著者は、ウクライナでの戦争に関して、フランスでは、発言を慎重に抑えていた。この問題に関するほとんどの発言を日本でのみ行ない、その日本では『第三次世界大戦はもう始まっている』という本まで刊行している。今回、

『フィガロ』紙のために、現下の戦争の一般的なイメージをひっくり返そうとするこの本について、詳細を語った。彼は次のように強調した。ウクライナが軍事的に抵抗しているとしても、ロシアが経済的に潰されたわけではない、と。彼によれば、戦争の成り行きや結末を不確かにする「二重のサプライズ（予想と違った事態）」が存在している。

## なぜ日本で出版したのか？　なぜこのタイトルなのか？

――ウクライナ戦争に関する本を、なぜフランスではなく日本で出版したのか？

日本人は、決して親ロシア的ではなく、ヨーロッパ人と同様に反ロシア的です。しかし、日本は、戦場から地理的に遠く離れており、本当の意味での切迫感はなく、私たちヨーロッパ人がウクライナに抱いているほどの感情的な関係もありません。

そして何より、日本での私の扱いは、フランスにおけるのとまったく異なっています。ここフランスでは「反逆的な破壊者」という汚名を着せられていますが、日本では、人類学者、歴史家、地政学者として尊重されています。ほぼすべての主要な新聞や雑誌で発言する機会があり、著作のほぼすべてが翻訳されています。ですから、落ち着いた雰囲気のなかで自分の意見を自由に表現できるのです。まず月刊誌（『文藝春秋』二〇二二年五月号）で発表し、次にインタビュー記事を集めたこの本を出版することになりました。『第三次世界大戦はもう始まっている』という書名で、現時点で発行部数は一〇万部に達しました。

――なぜこのタイトルなのですか？

　これがまさに現実だからです。第三次世界大戦が始まっているのです。確かにこの戦争は、「小規模」な形で始まりましたが、すぐに「二つのサプライズ（予想と違った事態）」が判明しました。私たちは当初、「ロシアの軍隊は非常に強力だが、ロシアの経済は非常に脆弱である」と思い込んでいました。そして「ウクライナは軍事的に破壊されるが、ロシアの経済は西洋連合によって破壊される」と考えていました。ところが、まったく逆の事態が起きたのです。

領土の一六%を失ったとはいえ、早々に圧倒されると思われていたウクライナは、いまだ軍事的には潰されていません。またロシアも経済的に潰されていません。それどころか、戦争開始から現時点で、ロシア通貨ルーブルの価値は、ドルに対して八%、ユーロに対して一八%も上昇しています。

つまり、ある種の「キプロコ（quiproquo 思い違い、取り違え）」が生じたのです。

しかし、一つ明らかなことがあります。「領土をめぐる地域限定の戦争」から、「西洋連合」と「中国に支援されたロシア」との間での「グローバルな経済的衝突」へと変容することによって、この戦争は、すでに「世界戦争」になっていることです——過去の世界大戦に比べれば、軍事的暴力はわずかだとしても——。

——大げさな表現で誇張しすぎではないですか？　西洋連合は、直接的には軍事介入していないのですから……。

しかし、私たち西洋人は、武器を供給しています。自分自身は危険に身を晒すことなく、私たち西洋人は、ロシア人を殺しています。ただ、〔とくにアメリカ人とは違って〕私たちヨーロッパ人は、とりわけ経済面で自身も戦争に巻き込まれています。インフレや物資不足を通じて、本当の意味でみずからが戦争に関わっていることを体感しています。

## 戦争前から「破綻国家」だったウクライナ

プーチンは、当初、大きな思い違いをしていました。これは、歴史社会学的に深く考察すべき問題です。

戦争前に何らかの形でウクライナに関わっていた国外関係者は、この国を「生まれつつある民主主義国家」ではなく、「崩壊しつつある社会」「破綻しつつある国家」とみなしていました。一九九一年の独立後、ウクライナからは、一〇〇〇万人から一五〇〇万人もの大量の人口が流出したのではないか、と懸念されていたのです。しかし、正確な数字は分かりません。ウクライナは、二〇〇一年以来、人口調査を行なっていないからです。これ自体が、現実直視を恐れる社会の典型的な兆候です。「これほど弱体化したウクライナ社会は最初の一撃で崩壊する」というのが、おそらくクレムリンの計算だったのでしょう。そして「おかえりなさい、お母さん」という具合に、神聖なロシアは、ウクライナの人々から歓迎される、という思い込みがあったのでしょう。

しかし、実際に確認されたのは、次のようなまったく逆の事態です。崩壊しつつある社会であっても、資金や軍事的資源の補給を外部から受け続けられるなら、戦争を遂行しながらも、新しいタイプの「均衡」、何らかの「地平」や「希望」も見出せる、ということです。ロシアは、こういう事態を見通せなかったのです。しかし、こんなことは他の誰も予見できませんでした。

## 私にとってロシアは「理解可能な存在」

――ウクライナが崩壊に向かう社会や国家だったのは事実だとしても、ウクライナ人の国民感情の強さ、さらには、ウクライナを支援したいというヨーロッパ人の感情の強さを、ロシアが過小評価していただけのことではないですか？　そしてあなた自身も、そこを過小評価して見誤ったのではないですか？

分かりません。私はまさにその問題に取り組んでいますが、研究者として、誰もが分からない事象も存在する、ということを受け入れます。

私にとって奇《く》しくも、情報が少なすぎて、解明できていない分野の一つがウクライナなのです。

小ロシア〔ウクライナ〕の家族システムは、核家族で、外婚制共同体家族で集団主義的な大ロシアの家族システムよりも、個人主義的であると、古いデータに基づいて言うことはできます。しかし、現在のウクライナがどうなっているのか。大規模な人口移動が起こり、「国内に留まるのか」あるいは「移民として国外に出ていくのか」という選択が、戦争前にも、戦時下でも、それぞれなされてきただけに、ウクライナの実態がどうなっているかは、現時点では私には分かりませんし、誰も分からないでしょう。

私が直面する逆説のひとつは、ロシアが私にとって「理解可能な存在」であることです。そしてこのことが、私を周囲の西洋人から遠ざける事態を招いています。皆の気持ちは分かります。敢えて「冷酷な歴史家」として話すのもつらい。しかし、ウェルキンゲトリクス〔編集部注——前五二年のガリア人大反乱の首謀者でカエサルと戦った〕をアレシアで包囲し、さらには彼をローマにまで連行して自身の勝利を祝ったユリウス・カエサルのことを考える時、「ローマ人は悪人だったのか」とか「ローマ人は道徳観を欠いていたのか」などと問うても意味がありません。

ロシア軍がウクライナ領土に侵入し、爆撃が繰り返され、死者が続出し、エネルギーのインフラが破壊され、ウクライナ人が冬の寒さで凍死するのを目にするのは、感情的に耐えがたいことです。

しかし、私にとっては、プーチンとロシア人の行動は、別の読み方が可能です。それをお話ししましょう。

## ミアシャイマーの分析

戦争が始まった最初の時点では、正直言って「まったく信じられない」という思いでした。ただその後は、米国の戦略的現実主義者、地政学者のジョン・ミアシャイマーと、ほぼ同じ見方をしています。当初から、彼はこう述べていました。

「ＮＡＴＯ軍（米・英・ポーランド）に自軍を掌握されていたウクライナは、少なくとも二〇一四年以降、事実上のＮＡＴＯ加盟国だった」「ロシアはウクライナのＮＡＴＯ加盟を絶対に容認しないと公言していた」「つまり、ロシアからしてみれば、（攻撃開始の前日にプーチンが語っていたように）『防衛』と『予防的措置』のために戦争をしているのだ」と。

　さらにミアシャイマーは、こう付け加えています。

「ロシアが困難に陥ることで喜ぶ理由は私たちにはない。彼らにとっては、実存的な問題、生存をかけた死活問題である以上、困難に陥れば陥るほど、彼らはより攻撃的になり、軍事的により強硬になるからだ」

## 米国が戦争で過ちを繰り返すのはなぜか

その後の事態の推移が、ミアシャイマーの分析の正しさ、有効性を十分証明しているように思いますが、私はここで、彼の分析に「補足」と一つの「批判」を加えたいと思います。

――一体どんなことですか？

まず「補足」です。

「ウクライナは事実上、ＮＡＴＯの一員だった」というのは、ほぼ妥当な指摘でしょう。しかし、彼が見落としていたのは、ドイツとフランスが、ＮＡＴＯの中心を占める重要メンバーではなくなっていたことです。「ウクライナ内部で軍事的に何が企てられていたか」について、まったく知らされていなかったのです。

ロシアによる侵攻の可能性を信じず、「交渉はまだ可能だ」と最後まで考えていたフランス政府とドイツ政府のナイーブさが、開戦後に非難されました。しかし、アメリカ、イギリス、ポーランドが、ウクライナに対して、本格的な戦争を遂行できるほどの能力を供与するなどということは、フランスとドイツにとっては、思いもよらないことだったのです。いまやＮＡＴＯの基本軸は、ワシントン、ロンドン、ワルシャワ、キエフとなっています。

次に「批判」です。

ミアシャイマーは、善良なアメリカ人として、自国を過大評価しているところがあります。ロシアにとって、ウクライナの戦争が「死活問題」である一方で、アメリカにとっては、基本的には、単なる「パワーゲーム」の一つにすぎない、と彼は見ています。ベトナム戦争、イラク戦争、アフガニスタン戦争の後に、戦争での失敗がまた一つ加わったところで大した問題ではない……。

アメリカの地政学的な基本公理は、次のようなものです。「われわれは自分の望み通りに何でもできる。大西洋と太平洋によって隔絶されていることで、安全だからだ。誰かがわれわれの領土に侵攻してくることは絶対にない」。

こうなると、アメリカにとっては、「死活問題」は何も存在しないことになる。こうしたアメリカの地政学的思考の不十分さが、今日、バイデン大統領を無思慮な強硬姿勢に走らせています。

## 終わりの見えない戦争

実は米国は、見た目以上に脆弱です。ロシア経済の強い耐久力が、最後には、米国の帝国システムを危機に追いやるでしょう。ＮＡＴＯ諸国の「経済力」にロシア経済がこれだけ抵抗できるとは、誰も予想していませんでした。おそらくロシア自身にとっても予想外のことだったのではないか。

もしロシア経済が、いつまでも経済制裁に持ちこたえ、遂にはヨーロッパ経済を疲弊させるに至り、中国の支援でロシア経済が生き延びるならば、通貨上および金融上のアメリカによる世界覇権は崩壊に至ります。それとともに、アメリカは膨大な貿易赤字を無料でファイナンスしてきた重要な手段を失うことになります。

この戦争は、アメリカにとっても、すでに「死活問題」となっているのです。ロシアと同様に、アメリカもまた、この戦争から容易には身を引けないのです。つまり、私たちはすでに「終わりの見えない戦争」「どちらか一方が敗北するまで続く戦争」のただ中にいるのです。その傍らで、中国、インド、サウジアラビアなどがほくそ笑んでいます。

**ロシアにとっての真の優先課題**

――しかしながら、ロシア軍は、かなりの苦境に陥っているようです。プーチン体制の崩壊まで予言する人がいます。どう思いますか？

そうした考えは間違っています。

当初、ロシアにも、「知らされていなかった」「騙《だま》された」という迷いや躊躇があったようです。しかし、いまやロシアは、戦争のなかで立ち直り、プーチンは、私たち西洋人があずかり知らない恩恵を手にしています。

二〇〇〇年代、すなわちプーチンの時代とは、ロシア人にとって、「均衡」と「普通の日常生活への回帰」を象徴する時代です。これとは逆に、マクロン大統領は、フランス人にとって、「予測不可能で危険な世界との出会い」と「恐怖への回帰」を体現する存在となるのでしょう。

一九九〇年代は、ロシアにとって、未曾有の苦難の時代でしたが、二〇〇〇年代には、生活水準が正常に戻っただけでなく、自殺率も他殺率も低下し、とりわけ私が注目してきた乳幼児死亡率が急激に低下して、米国の数値を下回るまでになりました。

ロシア人の意識のなかで、この「安定」を（キリストのような強い意味で）受肉＝体現しているのが、プーチンです。ロシアの大衆は、基本的に彼らの大統領と同じように、「我々が行なっているのは防衛戦争だ」と認識しています。彼らは、開戦当初、ミスを犯したと感じていました。しかし、経済面で持ちこたえるための備えがうまく整ったことで、自信を深めたのです。ウクライナ（彼らにとって、ウクライナ人が示す抵抗は理解可能です。彼らはロシア人と同様に勇敢だからです。西洋人はこれほど果敢に戦えるはずがない！）ではなく、彼らが「西洋連合」あるいは「米国とその家来たち」と呼ぶものに対する自信です。プーチン体制にとって、真の優先課題は、「戦地での軍事的勝利」よりも、過去二〇年間に獲得した「社会の安定」を失わないことの方にあります。

## 「ヨーロッパ経済の崩壊」を待っているロシア

だからこそ、ロシアは、節約に努めながら、この戦争を遂行しています。何よりも「人口の節約」です。というのも、ロシアも人口問題を抱えていて、女性一人当たりの出生率は一・五に留まっています。五年以内に、人口ピラミッドに大きな窪《くぼ》みが生じると見られています。

したがって私の考えでは、ロシアは五年以内に勝利する必要があります。さもなければ、戦争に負けることになる。「五年間」というのは、世界大戦としては、普通にあり得る時間幅です。だからこそ、ロシアは、節約に努めながらこの戦争を遂行している。限定的な戦争を続けられるだけの経済を維持しつつ、人口を温存したいと考えているのです。ハリコフ、キエフに続き、ヘルソンから撤退した意味も、ここにあるのでしょう。

私たちヨーロッパ人は、「ウクライナ人が奪還した領土の面積」にばかり目を奪われていますが、ロシア人の方は、「ヨーロッパ経済の崩壊」を待っているのです。つまり、彼らからすると、私たちヨーロッパ人も「戦場の最前線」にいるのです。もちろん、私が間違っているところもあるかもしれませんが、いずれにせよ、ロシア人の行動は「読解可能」です。彼らは乱暴であっても、彼らなりに合理的に動いています。いまだ分からない要素は、むしろ別のところにあります。

## ロシアから見れば「防衛戦争」

——この戦争を「防衛戦争」だとロシアは認識していると、あなたは説明されましたが、誰もロシアを侵略しようなどとはしていません。むしろ今日、ロシアの侵攻によって、ＮＡＴＯが東欧やバルト海周辺でかつてないほどの存在感をもつようになり、ＮＡＴＯ加盟を希望する国が増えています。

その質問に答えるために、逆ズームが可能な「心理＝地理学」のエクササイズを提案します。

ウクライナの地図を見ると、北、東、南から……ロシア軍が侵入しています。そこには、まぎれもなく「ロシアによる侵略」という光景が確認できます。

しかし、地球全体を視野に収めるべく、たとえば、ワシントンが入るまで逆ズームしてみると、ＮＡＴＯの大砲やミサイルが、遠隔地から戦場に大量に集められていることが分かります。しかも、こうした武器の流入は、ロシアによる侵攻の前から始まっていました。バフムトは、ワシントンから八四〇〇キロも離れていますが、ロシア国境からはわずか一三〇キロに位置しています。

このように世界地図を単純に読みさえすれば、「確かにロシアの立場からすれば、防衛戦争であるに違いない」という仮説も検討に値することが分かると思います。

## 米国の弱体化

――ロシアが侵攻を決断した背景には、米国の相対的な衰退も影響していると、あなたは述べていますが……。

二〇〇二年に刊行した『帝国以後』では、「米国の長期的な衰退」と「ロシアの復活」を論じています。二〇〇二年以降、米国は失敗と撤退を重ねました。米国はイラクに侵攻しましたが、最後には、イランを中東の主要プレーヤーとして残す形でイラクから撤退しています。そしてアフガニスタンからは、文字通り逃げ出すように撤退しました。

ヨーロッパと米国による「ウクライナの衛星国化」は、「西洋のダイナミズムの高まり」を意味してはいません。一九九〇年頃に始まり、その後、ポーランドとバルト諸国のルサンチマン的な反露感情によって引き継がれた、「一つの波」の終わりを意味しています。

ロシアがウクライナを屈服させようと決断したのは、米国の衰退というこの文脈においてです。それを実行するための技術的手段を遂に得られた、と彼らは実感できたのです。

## 「同盟国＝保護領」への支配を強める米国

ウクライナ戦争開始直前に刊行された、『インド外交の流儀』（笠井亮平訳、白水社）というインド外相ジャイシャンカルの本をちょうど読み終えたところです。彼は米国の脆弱さを見抜き、中国と米国の対立は、勝者を生まないが、インドのような国々にとっては、これによって活動の余地や選択の幅が広がる、と洞察しています。

私から一つ付け加えるとすれば、ヨーロッパ人の活動の余地や選択の幅は広がらない、ということです。米国の弱体化という現象は世界各地で見られますが、ヨーロッパと日本は例外です。「帝国システムの収縮」の結果としていま起きているのは、米国が「第一の保護領」に対しては、むしろ支配を強めていることです。

ズビグネフ・ブレジンスキー（『地政学で世界を読む――21世紀のユーラシア覇権ゲーム』）を読むと、「アメリカ帝国」は、第二次大戦末期に、ドイツと日本を占領したことによって築かれたことが分かります。両国はいまも米国の「保護領」であり続けています。「アメリカ帝国のシステム」が収縮すればするほど、その重圧は「保護領」（私はここにドイツだけでなくヨーロッパ全体を含めます）のローカルエリートに集中的にのしかかることになります。

国家としての自律性を最初に失うのは、英国とオーストラリアです（あるいはすでにそうなっています）。インターネットは、英語圏世界のなかで、米国との過剰と言ってよいほどの人的交流を生み出し、その結果、英語圏の大学、メディア、芸術界のエリートたちは、事実上、米国に「併合」された状態に置かれています。

ヨーロッパ大陸の私たちは、独自言語によって、この支配からある程度、守られていますが、それでも自律性の喪失は相当なもので、しかも急速に進んでいます。今こそ、シラク、シュレーダー、プーチンの三人が共同記者会見を開いて、イラク戦争の開戦に反対したことを思い出すべきでしょう。

## ＧＤＰでは真の経済力は測れない

――ロシアのＧＤＰは、スペインのＧＤＰほどの規模にすぎない、と多くの人が指摘しています。あなたは、ロシア経済とその抵抗力を過大評価しているのではないですか？

戦争は、政治・経済のリトマス試験紙です。戦争によって、さまざまな真実が暴《あば》かれます。

ロシアとベラルーシのＧＤＰの合計は、西洋連合（米国、英語圏諸国、ヨーロッパ大陸諸国、日本、韓国）のＧＤＰの総額のわずか三・三％です。実質的にゼロと言っていい。ではなぜこの微々たるＧＤＰで、ロシアはミサイルを生産し続けられるのか。問題は、ＧＤＰがもはや「生産力」を測る尺度として効力を失っていることにあります。

米国のＧＤＰの総額から、「あまりに高額な医療費の半分」「弁護士の活動によって『生み出される』と言われている富」「世界一の収容人数を誇る刑務所」「一万五〇〇〇人～二万人もいる平均年収一二万ドルのエコノミストたちの『成果』」といった、定義が曖昧なサービス部門のＧＤＰを差し引けば、ＧＤＰのかなりの部分が「水蒸気」でしかないことが判明するでしょう。

## 戦争が明らかにする真の経済力

戦争は、私たちを「リアルな経済」に引き戻します。「国家の真の豊かさ」「生産能力」、つまりは「戦争を継続する能力」を分からせてくれるのです。

物質的な変数に注目すれば、ロシア経済の実態が見えてきます。

二〇一四年、私たち西洋人は、ロシアに対して最初の大規模な経済制裁を科しましたが、その後、二〇二〇年までに、ロシアの小麦生産量は、四〇〇〇万トンから九〇〇〇万トンに増えています。一方、一九八〇年から二〇二〇年の間に、新自由主義によって、米国の小麦生産量は、八〇〇〇万トンから四〇〇〇万トンに減少しています。

ロシアは、原発の最大の輸出国にもなっています。

二〇〇七年の時点で、米国はこう述べていました。戦略的敵国であるロシアの核は壊滅状態にあり、米国はまもなくロシアに対して先制攻撃能力を手にすることになり、ロシアは決して反撃できないであろう、と。しかし現在、ロシアの方が極超音速ミサイルによって、核の優位性を保っています。

## ロシア経済の適応能力の高さ

ロシアの適応能力の高さには、目を瞠《みは》るものがあります。人は「中央集権経済」をからかう時には、その「硬直性」を強調します。「資本主義経済」を賞賛する時には、その「柔軟性」を賞賛します。それは間違っていないでしょう。経済が柔軟であるためには、市場、金融、通貨のメカニズムが必要だからです。

しかし、第一に必要なのは、モノを生産できる「労働人口」です。米国は現在、ロシアの二倍以上の人口を抱えています（学生の年齢層では二・二倍です）。高等教育を受ける若者の割合は同程度ですが、そのうちエンジニア志望者は、ロシアでは二五％であるのに対し、米国では七％にすぎません。つまり、高等教育を受ける人が米国より二・二倍少ないロシアの方が、エンジニアを三〇％以上も多く輩出しているわけです。

米国は、この穴を留学生で埋めていますが、インド人が中心で、さらに中国人も多い。こうした形での代替が、今後も持続可能かどうかは不確かで、すでに減少し始めています。これこそ米国経済が抱える根本的なジレンマです。中国製品の禁輸措置で中国に反撃するには、中国から熟練労働者を輸入するしかないのです。

ここで私は、「経済的均衡主義」という概念を提案したいと思います。この点、ロシア経済は、市場のルールを受け入れつつ（それを守ることがプーチンのこだわりでもあります）、国家も大きな役割を果たしつつ、産業的・軍事的適応を可能にするエンジニア教育という柔軟性も持ち合わせているのです。

### 戦争の結末は「兵器生産能力」にかかっている

――むしろプーチンは、天然資源からの収入ばかりに頼って、ロシア経済を発展させることがなかった、と指摘する人の方が多いようですが……。


もしそうだったら、そもそもこの戦争は起きていなかったでしょう。

この戦争の特徴であり、またこの戦争を不確かなものにしている要素は、（実は近代戦はすべてそうなのですが）この戦争が「先進技術」と「大量生産」のバランスという問題を含んでいることです。

米国が最先端の軍事技術を持っていることは間違いなく、それがウクライナの軍事的成功の決め手となったケースもあります。しかし、持久戦、消耗戦になると、戦争を続けられるかどうかは、人的資源だけでなく物的資源にかかってきます。高価で高度な最新兵器よりも、弾薬といったシンプルな兵器の生産に大きく依存することになるのです。

ここでまさに「グローバリゼーションの問題」と「西洋の根本的な問題」が浮かび上がってきます。西洋諸国は、あまりに大規模に産業基盤の国外移転を進めてしまったために、今後、兵器の生産が追いつくかどうか分からないのです。

この問題は一部ですでに認識され始めています。米国がこの種のミサイルの生産ラインを再開できるのかどうかについて、ＣＮＮ、『ニューヨーク・タイムズ』紙、国防総省が懸念を示しています。もちろん、ロシアの兵器生産能力が戦闘のペースに追いついていけるかどうかも分かりません。いずれにせよ、この戦争の「解決」と「出口」は、双方の兵器生産能力にかかっています。

## ロシアの「ソフトパワー」

――あなたによれば、この戦争は、軍事的、経済的な面だけでなく、イデオロギー的、文化的な面も含んでいる、ということですが……。

私はここで、主に人類学者として話しています。

ロシアには、より稠密《ちゅうみつ》な共同体家族の構造があり、その価値観が残っています。私たち西洋人にはなかなか理解しがたい、「家族国家」という潜在意識に支えられたロシアの愛国心が存在します。

ロシアは、父権的な組織原理を持っています。つまり男性が中心で、西洋発祥のネオフェミニズム、ＬＧＢＴ、トランスジェンダーの新たな価値観のすべてを取り入れることはできません。ロシア下院で「ＬＧＢＴのプロパガンダ」に対する抑圧的な法案が可決されるのを目にすると、私たち西洋人は「彼らは遅れていて、私たちは進んでいる」という優越感をつい抱いてしまいます。ごく平凡な西洋人の一人として、私自身もそう感じるところがあります。

しかし、「地政学」や「ソフトパワー」の観点で、そう考えてしまえば、間違いを犯すことになります。というのも、世界の七五％は、父権制社会であり、ロシアに理解を示しているからです。「非西洋連合」に向けて、ロシアは、彼らが安心できる「道徳的保守主義」を提示しています――ただし、「非西洋」でも中南米は、ここでは「西洋連合」の側についています――。

「地政学」では、通常、エネルギー、軍事力、武器生産〔最終的に問われるのは産業力〕といった領域でのパワーバランスが問題になります。しかし、もう一つ付け加えるべき領域があります。イデオロギー的、文化的な力のバランス、アメリカ人が言うところの「ソフトパワー」です。

かつてのソ連は、「共産主義」というある種の「ソフトパワー」を誇り、イタリアの一部、中国、ベトナム、セルビア、フランスの労働者に多大な影響を及ぼしました。しかしその一方で、共産主義は、その無神論でイスラム世界全体を不安がらせ、インド――ただし西ベンガル州とケーララ州は除きます――でも、何ら特別な影響力は持ち得ませんでした〔編集部注――共産主義が影響力をもったのは、基本的には「外婚制共同体家族」の地域に限られる」。

今日、「反植民地主義」だけでなく、「父権的で伝統的な保守主義」を掲げる大国として生まれ変わったロシアは、共産主義を掲げたソ連よりも、より遠くまでアピールすることができます。

米国は現在、サウジアラビアに裏切られたと感じています。戦争によるエネルギー危機にもかかわらず、石油の増産を拒否し、実質的にロシアの側に立っているからです。

もちろん、石油利権のためでもあるでしょう。しかし、プーチンが率いるロシアが道徳的に保守的になり、サウジアラビアに共感を覚えるようになったのは確かでしょう。また、サウジアラビアの人々は、(受胎時に男性と定義される)トランスジェンダー女性の「女性トイレ」へのアクセスをめぐるアメリカでの議論には困惑していることでしょう。

「ロシアが孤立した、ロシアが孤立した」と言い続ける西洋諸国の新聞は、悲劇的なほど滑稽です。しかし、国連の投票を見ると、世界の七五%は西洋に従っていません。

世界を代表しているつもりの「西洋」は、実は世界の一部でしかないのです。

## 無自覚ゆえに危険

人類学者であれば、英『エコノミスト』誌が民主主義のレベルが高いと分類する国（つまり英語圏、ヨーロッパなど）の地理的分布と、アフリカからアラブ世界、ロシアを経て中国にまで広がる権威主義国の地理的分布を見て、なぜこうなっているかを説明できるでしょう。

人類学者にとって、これは平凡な地図です。ユーラシアの「西側」の周縁部には、核家族構造と双系的親族システム――子供の社会的地位を定義する上で男系も女系も同等――の国々があります。そしてユーラシア大陸の中央部には、父系制の共同体家族社会が見られます。私たち西洋のメディアが「政治的価値観の対立」と評しているこの衝突は、より深い次元では、「人類学的価値観（編集部注――意識的に変えられるものではない）の対立」であることが分かります。このことに対する「無自覚さ」とこの問題の「奥深さ」が、この衝突をより危険なものにしているのです。**（編集部訳）**

## おわりに――生きた類型学

〈ソ聯邦が強豪ドイツと取組んで、とにも角にも闘ひ続けてゐることは、確かに世界的の大きな驚異である。（略）その受けた打撃は、人的にも、物的にも、甚大深刻であつて、一口にいつて、これだけの深傷、致命傷を負ひながら、なほかつ、よくも闘ひ続けてゐるといへるくらゐである。廿二ケ月の死闘の結果、弱つたことも事実であるが、今なほ戦ひつゞけてゐることも事実である〉

馬場秀夫の『ソ聯の底力』（新正堂）の序文の一節である。馬場は東京外国語学校でロシア語を専攻し、東京日日新聞の記者として長くソ連に駐在した。戦後は社会党の代議士や埼玉県の行田の市長を務めている。そんな馬場が一九四三年に出版したのが『ソ聯の底力』。本論に入ると、しばし対話体による砕けた調子になる。「ドイツでも、頑張ることをソ聯式と名づけてゐるくらゐだ」。「ソ聯をあすこまで頑張らしてゐるのは、一体何の力だらう。政治力が強いのか、国民が頑張り性なのか」。いや、「一概に政治力が強いとか、国民性がどうとかいふだけでは、解決できない」。「一口にいへば、まあ、ソ聯のもつ特殊性によるとでもいへるのぢやないか」。「ヒットラー総統も、かつて、ソ聯の軍備を見損つたと言明したことがあるが、世界で一番、ソ聯を研究してゐたはずのドイツですら見誤つたほどであるから、他の国の尺度ではソ聯を測り得ないものがあるわけだ」。

適切な尺度を持たない限り、われわれはいつも見損ない、見誤る。独ソ戦についても、開始当初はドイツの電撃戦で速戦即決すると世界のジャーナリズムは観測しがちになり、ドイツを盟邦としていた日本では、当然ながらそのような報道が優勢であった。ところがどうも違ってきた。『ソ聯の底力』も刊行されるようになった。でも人間は性懲《しょうこ》りもない。今度こそ見損なわず、見誤らないとすぐにまた思えてしまう。先の馬場の文章の「ソ聯」のところに、かつてソヴィエト連邦を共に構成したロシアとウクライナの両方を代置し、「強豪ドイツ」や「ヒットラー総統」も別のいろいろな固有名詞に置き換えれば、今日に相応《ふさわ》しい文章を何通りも作れてしまうだろう。ロシアの「底力」についても、ウクライナの「頑張り」についても、相も変わらず、われわれは見損ない、見誤っているのだろう。

そこを少しでも補正し、尺度を設定し直すためには、われわれは「ソ聯のもつ特殊性」ならぬロシアやウクライナやドイツやイギリスやアメリカや中国や日本の「特殊性」を、もっと微妙かつ本源的に解さねばならない。そうでなければ、トッド氏の言う「第三次世界大戦」の時代を生き残る希望は持てまい。その大戦は、第二次世界大戦が独英ソ等の折り重なるヨーロッパの戦争と日中の相対するアジアの戦争の両方にアメリカが主役級で入り込んだ巨大な複合戦争であったのと同じ要領で、始まりかねない。

すると諸国、諸民族の「特殊性」とはどう解しうるのか。資本主義と社会主義ではいかにも粗《あら》い。アジア的専制と西欧的民主主義とか、近代と前近代とかの、価値の優劣を前提とした物差しでは、この複雑怪奇な世界情勢を、ますます派手に見誤りかねない。もっと普遍的で汎用的で中立的で巧緻にして精妙で、歴史の長いスパンにも短いスパンにも使える物差しが必要なのだ。時間と空間、歴史と風土に応用できる、根本的なのに細密で、観念や抽象に決して陥らない、マックス・ヴェーバーも驚く、生きた類型学だ。

そんな都合の良いものが現代にありうるのか。たとえばトッド氏の学問がそれであろう。人間が生き物として種を保とうとするかぎり、原始だろうが未来だろうが、生殖と養育は必ずなんらかのかたちで根幹にあり続け、そこには必然的に家族形態が伴う。また人間が社会的生物であるかぎり、ある種の文化に支えられた人々の集まりの全体規模が常に問題となる。トッド氏は家族類型学と人口学の最新の知見を見通し、読み破り、そこに歴史と風土と宗教を絡めて、千変万化な事象を説明しようとする、まさにマクロとミクロを兼ねようとする新しい学問である。

　嚙んでも嚙んでも嚙みきれず、読めば読むほど味わえる、トッド氏の『我々はとこから来て、今どこにいるのか？』を、今日という時代のために予《あらかじ》め遣わされていた知識人であったのかと思われてならない佐藤優氏と共に、少しでも読み解こうとする作業に関われた縁をありがたく思い、またおのれの非力を反省し、編集者の西泰志氏、そして本書に収められた水戸での講演の前に水戸学についての私の拙《つたな》い話を聞いて下さったトッド氏に、深く感謝します。

　アメリカが謎の空中浮遊体をいくつか撃ち落としている二〇二三年二月の中頃

片山杜秀

**エマニュエル・トッド**（Emmanuel Todd）

1951年生まれ。フランスの歴史人口学者・家族人類学者。国・地域ごとの家族システムの違いや人口動態に着目する方法論により、『最後の転落』（76年）で「ソ連崩壊」を、『帝国以後』（2002年）で「米国発の金融危機」を、『文明の接近』（07年）で「アラブの春」を、さらにはトランプ勝利、英国EU離脱なども次々に〝予言〟。著書に『エマニュエル・トッドの思考地図』（筑摩書房）、『「ドイツ帝国」が世界を破滅させる』『シャルリとは誰か？』『問題は英国ではない、EUなのだ』『老人支配国家 日本の危機』『第三次世界大戦はもう始まっている』（いずれも文春新書）、『我々はどこから来て、今どこにいるのか？』（文藝春秋）など。

**片山杜秀**（かたやま もりひで）

1963年宮城県生まれ。思想史研究者・慶應義塾大学教授。慶應義塾大学大学院法学研究科後期博士課程単位取得退学。著書に『未完のファシズム』『近代日本の右翼思想』『ゴジラと日の丸』『ベートーヴェンを聴けば世界史がわかる』『尊皇攘夷』『11人の考える日本人』など。

**佐藤　優**（さとう まさる）

1960年東京都生まれ。作家・元外務省主任分析官。同志社大学大学院神学研究科修了。著書に『国家の罠』『自壊する帝国』『獄中記』『私のマルクス』『読書の技法』『同志社大学神学部』『十五の夏』『宗教改革の物語』『佐藤優の集中講義 民族問題』など。

**文春新書**

1399

トッド人類《じんるい》史《し》入門《にゅうもん》　西洋《せいよう》の没落《ぼつらく》

2023年3月20日　第1刷発行
2023年5月25日　第3刷発行

著　者　エマニュエル・トッド
　　　　片　山　杜　秀
　　　　佐　藤　　　優

発行者　大　松　芳　男

発行所　株式会社　文　藝　春　秋

〒102-8008　東京都千代田区紀尾井町3-23
電話（03）3265-1211（代表）

印刷所　理　想　社
付物印刷　大　日　本　印　刷
製本所　大　口　製　本

定価はカバーに表示してあります。
万一、落丁・乱丁の場合は小社製作部宛お送り下さい。
送料小社負担でお取替え致します。



ISBN978-4-16-661399-1